DEUS E O DINHEIRO

DEUS E O DINHEIRO

Como descobrimos a verdadeira riqueza
na Harvard Business School

—

JOHN CORTINES
GREGORY BAUMER

Traduzido por Cecília Eller

Copyright © 2016 por John Cortines e Gregory Baumer
Publicado originalmente por Rose Publishing, Inc.,
Carson, Califórnia, EUA.

Os textos das referências bíblicas foram extraídos da
Nova Versão Transformadora (NVT), da Editora Mundo
Cristão (usado com permissão da Tyndale House
Publishers), salvo indicação específica.

Todos os direitos reservados e protegidos pela Lei
9.610, de 19/02/1998.

É expressamente proibida a reprodução total ou
parcial deste livro, por quaisquer meios (eletrônicos,
mecânicos, fotográficos, gravação e outros), sem prévia
autorização, por escrito, da editora.

Edição
Daniel Faria

Revisão
Natália Custódio

Produção e diagramação
Felipe Marques

Colaboração
Ana Luiza Ferreira

CIP-Brasil. Catalogação na publicação
Sindicato Nacional dos Editores de Livros, RJ

C859d
    Cortines, John
      Deus e o dinheiro : como descobrimos a verdadeira
riqueza na Harvard Business School / John Cortines, Gregory
Baumer ; tradução Cecília Eller. - 1. ed. - São Paulo : Mundo
Cristão, 2019.
      272 p. ; 21 cm.

    Tradução de : God and money : how we discovered
true riches at harvard business school

    ISBN 978-85-433-0475-5

    1. Deus. 2. Moeda - Aspectos religiosos - Cristianismo.
3. Riqueza - Aspectos religiosos - Cristianismo. I. Baumer,
Gregory. II. Eller, Cecília. III. Título.

19-59122
                        CDD: 261.85
                        CDU: 27-46

Publicado no Brasil com todos
os direitos reservados por:

Editora Mundo Cristão
Rua Antônio Carlos Tacconi, 69
São Paulo, SP, Brasil
CEP 04810-020
Telefone: (11) 2127-4147
www.mundocristao.com.br

Categoria: Autoajuda
1ª edição: novembro de 2019

*A nossas esposas, que nos apoiaram ao longo
de todo o processo de escrita deste livro
com paciência e graça sem limites.
Alison e Megan, sem vocês este livro não existiria.*

*Cada ideia aqui expressa carrega as digitais de vocês.
Obrigado por estarem dispostas
a embarcar nesta jornada conosco.
Temos a grande expectativa de passar a vida inteira
servindo a Cristo ao lado de vocês.*

SUMÁRIO

Nota à edição brasileira	9
Prefácio	11
Prólogo	14
Agradecimentos	17
Introdução	19

PARTE I — FUNDAMENTOS

1. Riqueza e doação na Bíblia	25
2. Sete princípios bíblicos fundamentais sobre riqueza e doação	56
3. Motivações para doar	82
4. Tendências e movimentos de generosidade	106

PARTE II — ESTRUTURAS

5. GPS: gastador, poupador ou servo?	123
6. Gastar: investimento no presente	140
7. Poupar: investimento no futuro	159
8. Servir: investimento na eternidade por meio da doação	191

PARTE III — PASSE ADIANTE

9. Mordomia na comunidade	227
10. Nossas conclusões	247

Epílogo: Qual é nossa situação agora?	257
Apêndice A: Leituras recomendadas	269
Apêndice B: Recursos adicionais	271

NOTA À EDIÇÃO BRASILEIRA

Em *Deus e o dinheiro*, os autores John Cortines e Greg Baumer escrevem tomando como contexto primário a realidade financeira dos Estados Unidos, o que se reflete nos dados monetários e tributários e nos indicadores de padrões de vida mencionados ao longo da obra. Embora tais valores sejam evidentemente divergentes da realidade econômica brasileira, optamos por não fazer uma conversão para equivalentes nacionais, por entender que isso resultaria em possíveis imprecisões e prejudicaria a lógica e a fluidez da argumentação dos autores.

Ainda assim, acreditamos que os princípios gerais relacionados à mordomia cristã podem facilmente ser aplicáveis ao cenário brasileiro, proporcionando um valioso entendimento teórico e prático sobre a administração das riquezas e a doação de recursos.

Os editores

PREFÁCIO

Meu primeiro contato com John Cortines e Greg Baumer aconteceu em uma reunião ao telefone. Eles entraram em contato comigo para pedir conselhos e ideias para o livro que se propuseram escrever, livro esse que agora se tornou realidade.

Posteriormente, tive o privilégio de conhecê-los no congresso Celebração da Generosidade, organizado pela missão Generous Giving. Foi ali que os ouvi falar, e fiquei absolutamente encantado com o que tinham a dizer.

Considero um privilégio incentivar jovens apaixonados por Cristo e sua Palavra. Quando Greg e John me contaram que haviam sido tocados pelos livros de minha autoria, *Money, Possessions and Eternity* e *The Treasure Principle*, senti-me honrado e agradecido. Mas o que mais me empolga neste livro é o desejo que seus autores têm de influenciar a geração mais jovem a respeito das doações generosas, desafiando seus pares a ver além de nosso padrão de vida sem precedentes e enxergar um chamado maior que nós mesmos.

Assim como muita gente, sinto que tenho muito mais solicitações de uso do meu tempo do que consigo administrar. No entanto, por causa de minha paixão pela mensagem da mordomia do dinheiro de Deus, quando recebi o convite de escrever o prefácio deste livro eu não poderia recusar a oportunidade. Faço isso com alegria, sorrindo diante da graciosa obra divina de levantar generosos doadores estratégicos de todas as gerações.

Muitos de nós já chamamos a atenção para o fato de que são as gerações mais velhas que doam uma parcela maior de sua renda para a obra de Deus. Os mais jovens, mesmo os que doam mais

12 DEUS E O DINHEIRO

de seu tempo, costumam doar menos dinheiro. Minha oração é que Deus use Greg e John para inspirar a geração de *millennials* a levar a sério o caminho da generosidade. Com a transferência da riqueza de uma geração para a seguinte e a ascensão de jovens empreendedores e servos empolgados cuja vida gira em torno de Cristo, Deus está criando um grupo novo de pessoas para desencadear uma efusão de generosidade. Peço ao Senhor que use este livro como parte desse movimento, na plena expectativa de que ele o fará.

John e Greg reconhecem aquilo que todos deveriam saber: os norte-americanos de classe média se encontram entre as pessoas mais ricas da história mundial. Chegou a hora de os seguidores de Cristo entenderem que Deus tem propósitos mais altos do que elevar nosso padrão de vida: ele quer que elevemos nosso padrão de doações.

Assim como esses dois jovens, eu anseio ajudar as pessoas a entenderem que dar glória a Deus em nossa maneira de gastar dinheiro não é só um dever, mas um deleite! Não existe alegria maior que doar. Todos buscam felicidade porque foi assim que o nosso Deus feliz nos criou. Mas essa felicidade só pode ser encontrada no projeto divino de vida. Na única declaração de Jesus fora dos Evangelhos, registrada no livro de Atos, encontramos o Senhor dizendo: "Há bênção [*makarios*, construção da felicidade] maior em dar do que em receber" (At 20.35). Aí está! Dê e Deus lhe trará uma felicidade viciante que o impulsionará a continuar doando. Dê mais e mais, não só para ajudar os outros e agradar a Deus, mas também para ser mais feliz do que você jamais imaginou que conseguiria ser! Isso não é teologia da prosperidade, mas sim pura alegria em honrar Jesus!

John e Greg propõem princípios para a generosidade centrada em Cristo, ao mesmo tempo que documentam a promoção de bem-estar físico e emocional proporcionada por essa generosidade. Baseando-se em pesquisas e entrevistas com cristãos de boa condição financeira, eles apresentam exemplos surpreendentes de liberalidade que honram nosso Salvador e Rei.

Os autores se envolveram na missão de influenciar cristãos modernos a doar com generosidade. *Deus e o dinheiro* pode ser uma grande contribuição a esse nobre objetivo.

Quem está convencido, pela Palavra de Deus e pela atuação do Espírito Santo, a colocar a generosidade cristã não na periferia, mas no centro de seu planejamento financeiro, receberá este livro de bom grado. Quem ainda não tem certeza do desejo e do chamado de Deus para si será grandemente beneficiado por esta leitura, contanto que mantenha o coração aberto para aquilo que o Senhor tem planejado para sua vida enquanto lê. (Caso não queira abrir o coração a Deus, este livro não é para você; mas comece assim mesmo e veja o que ele é capaz de fazer com seu coração!)

Parabenizo Greg e John por sua perspectiva eterna e pela paixão em nos ajudar a abrir os olhos para o que realmente importa e continuará a importar para sempre. *Deus e o dinheiro* é um livro revigorante, em especial por causa do compromisso genuíno e sincero de seus autores. O que mais amo, porém, é o foco no quadro mais amplo: não nos tesouros da terra, que voltarão ao pó, mas sim nos tesouros do céu, que durarão para sempre. Que vivamos aqui e agora a fim de fazer diferença lá na eternidade!

RANDY ALCORN
Autor e fundador do Eternal Perspective Ministries

PRÓLOGO

Para doar muito com liberalidade, sem nenhum rancor,
é necessário um novo coração.

R. M. McCheyne, pastor escocês do século 19

Deus nos ama. Ele deseja o melhor para nós. E ele sabe que nós prosperamos quando nos doamos. Por isso, ele nos chama para ser doadores — não dizimistas, não filantropos, mas doadores radicais, completamente envolvidos.

Nem sempre tivemos essa compreensão, e em alguns aspectos ainda estamos aprendendo e reaprendendo, vez após vez. Mas este livro diz respeito à nossa jornada contínua da mentalidade de *gastador* (Greg) e *poupador* (John) para a mentalidade de *servo*. Aprendemos muita coisa ao longo dessa jornada, porém o mais relevante de tudo é que deixamos de perguntar: "Quanto devemos dar?". Em vez disso, nossa indagação se tornou: "Com quanto devemos ficar?".

Em nossa jornada, descobrimos que há poder nos detalhes. Assim, você verá que apresentaremos números específicos quando nos referirmos a nossas despesas pessoais e ao patrimônio líquido ou "linha de chegada" (leia mais sobre isso na Parte II). Fizemos isso na esperança de que esses detalhes específicos sejam esclarecedores. Sem dúvida, eles não têm a intenção de ser prescritivos. Acreditamos, contudo, que cada um deve refletir em oração para se tornar *autoprescritivo*, ou seja, estabelecer regras financeiras para a vida e linhas de chegada postas em prática em comunidade, com prestação de contas. Há liberdade em estabelecer limites como esses.

Quando começamos a cursar a Harvard Business School, nós dois tínhamos planos de comprar casas de milhões de dólares, acumular uma fortuna e, sim, quem sabe doar para a igreja e algumas instituições de caridade ao longo desse trajeto. A senha de acesso aos serviços bancários *on-line* de John era "aposentado_aos_40"! Agora, porém, já firmamos o compromisso de doar todos os nossos ganhos financeiros que excedem alguns limites definidos em oração. Cremos que essa é uma resposta saudável ao que a Bíblia tem a dizer acerca da riqueza e damos todo crédito e louvor a Deus por nos conduzir nessa jornada. Tem sido um caminho duro, mas no qual a fidelidade, a soberania e o amor ilimitado do Senhor se tornam cada vez mais claros em nossa vida. Agora temos onde nos proteger de todo o estresse e ansiedade (e pecado) que o dinheiro costuma causar. Nossa vida foi enriquecida em todos os aspectos ao aderirmos a uma nova maneira de pensar sobre a riqueza, uma maneira que, antes de qualquer coisa, busca glorificar a Deus por meio de nossas finanças. Somos gratos por conhecer a Deus. Somos gratos pela alegria e pela paz recém-encontradas que se tornaram tangíveis em nossa vida diária!

Caso seja de seu interesse saber, nossa formação teológica é de linha evangélica razoavelmente conservadora. Ao escrever este livro, nosso objetivo foi permanecer fiéis às Escrituras, e procuramos mencionar versículos bíblicos relevantes sempre que possível. No entanto, também temos uma formação em contabilidade (Greg) e engenharia (John), por isso nos empenhamos em trazer rigor empírico e análise financeira moderna ao material. Esperamos que o resultado seja algo que honre o melhor da cultura à nossa volta, dialogue com a sociologia e a filosofia, siga as Escrituras e, por fim, desafie profundamente o coração de cada cristão.

Acreditamos que este livro é uma parte pequena de um grande movimento. Aliás, ao longo de nossa pesquisa, sentimos a convicção de que nossa geração está prestes a testemunhar um aumento considerável da generosidade, diferente de qualquer coisa que o mundo já presenciou. Nós oramos para que isso aconteça!

A fim de ilustrar essa tendência crescente e dar vida aos princípios que vamos analisar, mergulharemos fundo na história de cinco famílias nos capítulos a seguir. Elas aparecerão no decorrer do livro, dando uma face humana aos conceitos que exploraremos juntos. Como revelam informações pessoais de caráter sensível, mudamos o nome e a cidade dos envolvidos, mas todos os outros detalhes, como profissão e valores em dólares que aparecem nos relatos, permanecem sem alteração. Esperamos que sua jornada ao longo deste livro seja edificante e desafiadora, libertadora e convincente, assim como foi para nós.

JOHN CORTINES
GREGORY BAUMER
Boston, Massachusetts

AGRADECIMENTOS

Este livro não surgiu do vácuo. Incontáveis líderes vieram antes de nós, marcando a trilha que seguimos em nossa jornada. Sem eles, com certeza teríamos nos perdido no bosque. Queremos dedicar um momento para agradecer a diversos indivíduos cruciais, cientes de que muitos outros não serão mencionados. Agradecemos a:

Harvey Cox, pela liderança ousada e conhecimento dedicado a Cristo, por lecionar até depois dos 80 anos, de modo que pudemos nos beneficiar de suas excelentes reflexões na Harvard Divinity School, no outono de 2014.

Nossos estudos de caso, cuja identidade permanecerá anônima, por levarem uma vida de generosidade radical e estarem dispostos a compartilhar assuntos extremamente pessoais de forma aberta conosco.

Os mais de duzentos empresários que responderam à nossa pesquisa sobre riqueza e doação, fornecendo-nos um rico conjunto de dados para explorar e investigar no início deste projeto.

Todd Harper, Matt Mancinelli, John Esler e Mark MacDonald, que se reuniram no andar de cima do restaurante Red House em Cambridge, Massachusetts, em um dia de neve que impactou nossa vida para sempre.

Derek van Bever, nosso conselheiro na Harvard Business School, por nos desafiar a elevar nosso livro a um novo patamar.

Nosso Conselho de Diretores para a Vida: Walker e Ida Brumskine, Matt e Paige Deimund, Dylan e Tas Emmett, Paul e Emmalee Kalmbach, Andrew e Christy Mawdsley. Obrigado por se tornarem uma definição concreta de comunhão cristã verdadeira em nossa vida.

Aqueles que proferiram grandes palavras de sabedoria e abençoaram nossa jornada: Randy Alcorn, Tony Cimmarrusti, Julie Wilson, Pat Combes, Al Mueller, Tim Sullivan, Grace Nicollete, Troy Austin, Will Messenger, pastor David Self, Tyler Self, David Wills, Rob West, Jeff Barneson, Catherine Muthey, pastor David Swaim, Scott Rice, Graham e April Smith e Ron Blue.

Inúmeros autores e eruditos, desde João Crisóstomo, 1.600 anos atrás, até Christian Smith, da Universidade de Notre Dame hoje, que teceram uma narrativa consistente de pensamento cristão, advertindo contra os perigos do egocentrismo e chamando-nos para a vida plena da generosidade. Os escritos desses pensadores mudaram nossa vida.

Dezenas de indivíduos altruístas que se voluntariaram a participar de nossos grupos de estudo para o livro pré-lançado em 2015. O retorno perspicaz que nos deram tornou o livro que você tem em mãos exponencialmente melhor! Obrigado por mergulhar fundo conosco e refletir sobre o conteúdo deste manuscrito.

Nossos agentes literários, Amanda Bray e Dan Balow. Vocês nos ajudaram a deixar de ser iniciantes sem noção para nos tornar algo parecido com autores de verdade, e por isso seremos eternamente gratos.

Nosso auditor teológico, o professor Rob Plummer, do Southern Baptist Theological Seminary. Seu olhar afiado garantiu que permanecêssemos fiéis a uma interpretação evangélica da Bíblia e merece nossa gratidão eterna.

Somos agradecidos a todos vocês pela generosidade para conosco.

INTRODUÇÃO

Nossa relação com o dinheiro é uma questão central de disciulado. Creio que é um assunto muito negligenciado na igreja. É como se fizessem vista grossa para a ganância e a mordomia, por serem temas "pessoais demais" para abordar no púlpito. Acredito que deveria ser uma parte muito mais central da mensagem da igreja.

A doação generosa é uma das práticas espirituais mais profundas e impactantes que já presenciei.

Um tema maravilhoso, até mesmo concluir esta pesquisa me impulsiona a orar mais sobre o assunto.

Percebi que não há uma boa variedade de orientações disponíveis sobre este tema.

Todas essas citações são respostas a uma pesquisa sobre riqueza e doação cristã. Realizamos o levantamento no outono de 2014, como parte dos requisitos de uma matéria cursada na Harvard Business School, chamada "Deus e o dinheiro". As declarações demonstram que o povo de Deus está sedento por mais discussões sobre o tema da generosidade. Tivemos o privilégio de conversar e aprender com muitos cristãos extraordinariamente generosos ao fazer a pesquisa para este livro. Sintetizamos nossas descobertas em uma estrutura para a generosidade que planejamos usar em nossa vida. Esperamos que ela demonstre ser edificante e libertadora também para outros. Nosso objetivo final é oferecer uma abordagem factível para tomar decisões reais acerca do acúmulo de riquezas e a decisão de doar, usando como firme fundamento o ensino de Deus sobre o assunto. Muita coisa já foi escrita acerca dos princípios e das atitudes corretas que devemos aplicar ao doar. Por algum motivo, contudo, muitos cristãos não põem em prática tais princípios em sua vida.

Nossa esperança é aplicar esses princípios tantas vezes negligenciados, a fim de criar uma estrutura prática e pragmática para as decisões da vida real que a maioria dos cristãos ocidentais necessitam tomar. Cremos que refletir sobre essas questões desde o início torna muito mais fácil decidir viver de acordo com os princípios divinos, em lugar de esperar até depois de adquirir a riqueza. De fato, como um dos participantes da pesquisa explicou: "As decisões da juventude acerca de dinheiro, caridade e posses estabelecem uma trajetória de valores pessoais que é difícil revisar mais tarde". A maioria dos cristãos concorda que devemos ser gratos a Deus pelas bênçãos materiais que ele nos dá, e a maioria acha que devemos ser generosos com nossa riqueza material a fim de ajudar os outros. Não há controvérsias a esse respeito. O mais difícil é aplicar tais conceitos a decisões na vida real. Por exemplo, como um cristão do século 21 deve pensar ao comprar uma casa? Quão sofisticada a casa de um cristão pode ser, sem trair os princípios de gratidão e generosidade aos quais ele sabe que deve aderir?

É difícil tomar decisões como essa, porque elas envolvem muitos fatores: a fé, sem dúvida, mas também o desejo de sustentar a família, de garantir a segurança dos filhos etc. Este livro tem o objetivo de avaliar as questões mais detalhadas relativas a riqueza e doação na vida cristã. A propósito, usamos aqui os termos "dinheiro", "riqueza" e "posses" de maneira intercambiável. Conforme você perceberá durante a leitura, cremos que todas as nossas provisões materiais devem ser usadas para honrar a Deus, não só o "excedente". Por isso, quando usamos qualquer um desses termos, estamos nos referindo de forma abrangente a todos os bens materiais e financeiros que Deus proveu em nossa vida.

INTRODUÇÃO   **21**

Também queremos afirmar com clareza que a doação financeira é apenas um aspecto da obra do corpo de Cristo. Cada membro da igreja é chamado a servir. Os que possuem riquezas terrenas não ocupam uma posição especial, nem têm motivo para se orgulhar. Alguns podem dar dinheiro, outros doam trabalho duro, outros ainda doam a capacidade de liderança, mas todos somos irmãos e irmãs iguais no Senhor, trazendo com humildade tudo o que temos a oferecer ao corpo de Cristo, para sua glória. Com frequência, ouvimos em nossas igrejas que discutir valores específicos de dinheiro não ajuda, porque o coração é mais importante que o número de zeros em um cheque. Embora isso seja verdadeiro de modo geral, muitas vezes acaba forçando os cristãos a tomar decisões financeiras de grande importância sem conselhos externos, podendo até levar à tentação de aderir à teoria de "dar quando se sentir tocado", sem nunca sentir esse impulso! Reconhecemos a primazia do coração, mas também queremos afirmar com toda clareza: os atos importam e os valores também! Comecemos um diálogo honesto para descobrir o coração de Cristo no que diz respeito à nossa vida financeira.

PARTE I

FUNDAMENTOS

1

RIQUEZA E DOAÇÃO NA BÍBLIA

Lembrem-se do Senhor, seu Deus. É ele que lhes dá força para serem bem-sucedidos.
Deuteronômio 8.18

Em meu primeiro ano na Harvard Business School, eu (Greg) li a Bíblia de capa a capa. Embora tenha crescido na igreja, essa foi a primeira vez que li cada palavra das Escrituras na sequência. Ler a Bíblia inteira como uma unidade singular me permitiu apreciar melhor o movimento geral da história divina: Deus cria o ser humano, que se rebela contra ele. Deus busca incansavelmente seu povo, somente para ser traído vez após vez. Em sua fidelidade, Deus envia seu filho Jesus Cristo para suportar as consequências colossais do nosso pecado. Com a ressurreição de Jesus, Deus demonstra sua vitória sobre o pecado, oferecendo-nos a oportunidade de ingressar em um relacionamento puro com ele. Agora, livres do pecado, identificamos nosso propósito final: "Glorificar a Deus e desfrutá-lo para sempre".[1] A leitura da Bíblia inteira deixou claro para mim que a história divina fala de fidelidade, salvação e graça.

Observei alguns outros temas comuns na narrativa bíblica durante essa experiência. Para começar, as Escrituras falam *muito* sobre dinheiro. A Bíblia contém cerca de quinhentos versículos sobre fé e oração, ao passo que conta com mais de dois mil

---

[1] Extraído do Breve Catecismo de Westminster, disponível em: <http://www.westminsterconfession.org/confessional-standards/the-westminster-shorter-catechism.php>. Acesso em 27 de maio de 2019.

DEUS E O DINHEIRO

versículos sobre dinheiro![2] Aliás, o dinheiro é o tema de cerca de 40% das parábolas de Jesus. Imaginei que Deus deve considerar esse assunto bem importante, para dedicar tanto espaço a ele. Por isso, quando John e eu começamos a estudar mais a fundo o tema da riqueza e da generosidade, eu me perguntei: "O que a Bíblia *de fato* diz sobre dinheiro?". Existe um jeito de identificar as grandes lições das Escrituras sobre o assunto? Mergulhei nesses dois mil versículos e fiquei maravilhado ao descobrir que Deus realmente ensina um conjunto consistente de lições sobre riqueza e liberalidade, de Gênesis a Apocalipse.

> **De olho nos detalhes...**
>
> Em 1973, o empresário Howard Dayton classificou todos os 2.350 versículos sobre dinheiro em um índice por assunto. Conforme ele nos disse: "Esse estudo me mudou de maneira radical e permanente. Deixei de adorar o dinheiro e passei a servir a Cristo". Como líder dos ministérios Crown Financial e Compass, ele já ajudou mais de 50 milhões de pessoas a conhecer a verdade bíblica acerca do dinheiro. Para conhecer o índice, acesse "Compass: 2,350 Verses on Money" em <GodandMoney.net/resources>.

Neste capítulo, analisaremos diversas das passagens bíblicas mais importantes acerca da riqueza e do dinheiro. Dedicamos o primeiro capítulo à compreensão do ensino de Deus sobre esse assunto porque acreditamos que a Bíblia deve ser a fonte primária para um entendimento adequado sobre qualquer assunto, inclusive dinheiro e riqueza. Ao tentar construir todo o livro sobre o firme fundamento da Palavra de Deus, temos a esperança de criar uma perspectiva que honre a verdade divina acima de qualquer outra coisa.

Duas ressalvas antes de começarmos. Primeiro, nenhum de nós dois é formado em teologia. Não tentamos apresentar neste livro

---

[2] Greg Laurie, "Money & Motives", disponível em: <http://www.oneplace.com/ministries/a-new-beginning/read/articles/money-and-motives-9220.html>. Acesso em 27 de maio de 2019.

nenhuma interpretação nova das Escrituras. Em vez disso, nossa meta é resumir as lições centrais da Bíblia sobre dinheiro, riqueza e generosidade, de acordo com a compreensão e interpretação comumente aceitas pela igreja hoje. A fim de nos ajudar a cumprir esse objetivo, fizemos uma parceria com o dr. Robert Plummer, diretor do Departamento de Novo Testamento e professor de Interpretação do Novo Testamento no Southern Baptist Theological Seminary, em Louisville, Kentucky. O dr. Plummer gentilmente revisou nossa exposição da Palavra de Deus nos capítulos 1 e 2 a fim de garantir que analisamos e interpretamos cada passagem com a maior fidelidade possível. Nós somos muito gratos por seu apoio.

Segundo, este capítulo abrange somente uma pequena fração do ensino bíblico sobre riqueza e doação. Selecionamos uma amostra de passagens de cada parte das Escrituras, acreditando que elas exemplificam as lições gerais da Bíblia sobre administrar riquezas e doar. Confira acima, no quadro "De olho nos detalhes...", uma sugestão de um índice abrangente de versículos bíblicos sobre o dinheiro.

Vamos lá, é hora de mergulhar!

RIQUEZA E DOAÇÃO NO ANTIGO TESTAMENTO

Deem alimento aos famintos e ajudem os aflitos. Então sua luz brilhará na escuridão, e a escuridão ao redor se tornará clara como o meio-dia.

Isaías 58.10

Os patriarcas

Começamos nossa pesquisa analisando riqueza e doação no Antigo Testamento antes da instituição da lei de Moisés, estudando, de maneira específica, as histórias de Caim e Abel, de Abraão e de Jacó. A pergunta em jogo nessas passagens é até que ponto o dinheiro era um fator influente no relacionamento dos patriarcas

28 DEUS E O DINHEIRO

com Deus antes da instituição de ordens específicas a respeito da riqueza e da doação na lei mosaica. Que lições acerca de adquirir riquezas e doar podemos aprender com os pais da nossa fé, os quais aguardavam e ansiavam pelo cumprimento final das promessas divinas que hoje conhecemos por sermos crentes da nova aliança?[3]

Caim e Abel (Gn 4.3-7): Tanto Caim quanto Abel apresentaram ofertas ao Senhor. Deus "aceitou" Abel e sua oferta, mas "não aceitou Caim e sua oferta". Hebreus 11.4 explica que, "pela fé, Abel apresentou a Deus um sacrifício superior ao de Caim". Caim e Abel pareciam estar fazendo uma doação voluntária, e seus donativos foram julgados com base na fé, não na quantidade.[4] A fé é uma resposta à graciosa autorrevelação divina, e não sabemos exatamente de que modo a oferta de Abel foi uma resposta mais aceitável ao que Deus havia revelado. Sugere-se com frequência que a oferta de um sacrifício de sangue feita por Abel era superior aos produtos agrícolas apresentados por Caim. A despeito dos detalhes específicos (que hoje não passam de conjecturas), o amargo ressentimento de Caim por causa da repreensão divina revela o verdadeiro estado de seu coração em relação a Deus.

Abraão (Gn 14.18-24): Abraão havia acabado de derrotar Quedorlaomer, que tinha atacado e roubado seu sobrinho Ló. Depois de voltar a Salém (i.e., Jerusalém), Abraão deu 10% dos espólios para Melquisedeque, sacerdote do Deus Altíssimo.[5] Essa doação também parece ter sido voluntária, não um ato de obediência a um mandamento específico. Abraão confirma essa conclusão ao afirmar que havia feito o voto anterior de não ficar com nenhum despojo da batalha. De fato, Abraão foi em frente e doou pouco

---

[3] Hebreus 11.13; Romanos 4.1-3.
[4] Croteau, *You Mean I Don't Have to Tithe?*, p. 87.
[5] Hebreus 7.4 confirma que a doação de Abraão a Melquisedeque foi apenas uma parte dos espólios, não o "dízimo" de toda a riqueza do patriarca.

depois os 90% restantes do tesouro a seus compatriotas. Além disso, o patriarca parece considerar que os despojos pertenciam a Deus, não a si próprio. Aqui encontramos o primeiro exemplo de reconhecimento de que todos os recursos com os quais Deus nos abençoa pertencem, na verdade, a ele!

Jacó (Gn 28.13-22): Deus promete permanecer ao lado de Jacó, bem como lhe dar terra e um grande número de descendentes, os quais abençoariam o mundo. Jacó respondeu de maneira condicional: *se* Deus fizesse essas coisas, *então* Javé seria seu Deus e Jacó lhe daria um décimo de suas posses. Jacó demonstra que estava, na verdade, temeroso e inseguro em relação às promessas divinas. (Muitas histórias das Escrituras nos lembram de como Deus age movido pela graça ao redimir e usar santos frágeis, falhos e, com frequência, equivocados... pessoas exatamente como nós!) Jacó passou vinte anos com seu tio Labão antes de voltar para a terra que o Senhor lhe prometera, e o texto bíblico não menciona Jacó entregando nenhum donativo a Deus durante esse período.[6] Ao que parece, Jacó tinha uma atitude de "toma lá, dá cá" para com Deus, algo muito comum ao coração humano.

A lei mosaica

A seção anterior ilustrou que a riqueza e o dinheiro eram muito relevantes para o relacionamento dos patriarcas com Deus, mesmo sem que Deus houvesse dado mandamentos específicos relativos à riqueza.[7] É dentro do contexto da lei de Moisés que

---

[6] Croteau, *You Mean I Don't Have to Tithe?*, p. 93.

[7] Aqui vai uma particularidade interessante da era pré-mosaica para os leitores sobre capital privado ou fundo multimercado. Alguns dizem que a gênese dos 20% como valor convencional dos lucros obtidos pelos sócios gerais está ligada à solução dada por José para a fome, narrada em Gênesis 47. O faraó daria grãos para os egípcios famintos, que os semeariam e cuidariam da seara. Do total da colheita, 80% pertenceria aos egípcios, ao passo que 20% seria pago para o faraó.

30 DEUS E O DINHEIRO

Deus apresentou os primeiros mandamentos explícitos acerca das riquezas e da doação. O mais célebre deles é a instituição do dízimo. O israelita médio do Antigo Testamento recebeu a ordem de devolver três dízimos distintos:[8]

- *Dízimo levítico (Nm 18.20-24):* O dízimo levítico era uma doação anual de 10% destinada ao sustento dos levitas. Ao contrário das outras tribos israelitas, os levitas não podiam ser donos de terras e, por isso, não recebiam herança. Logo, o dízimo levítico tinha a intenção de servir como a herança dos levitas e era usado para custear seu sustento como servos do templo, músicos etc.[9]
- *Dízimo festival (Dt 12.17-19; 14.22-27; 26.10-16):* O dízimo festival correspondia a 10% da renda e era destinado a custear a Festa dos Tabernáculos, uma comemoração anual em homenagem ao livramento divino dos israelitas, quando foram tirados da escravidão no Egito (Lv 23.42-43). Na verdade, cada israelita ficava com esse dízimo, pois recebia a ordem de "comer" o dízimo, caso ele fosse apresentado na forma de oferta animal ou de cereais, ou então de usar o valor em dinheiro para comprar os alimentos que seriam consumidos durante a festa.
- *Dízimo de caridade (Dt 14.28-29):* O dízimo de caridade correspondia a 10% oferecidos no terceiro e sexto anos do ciclo de sete anos da vida social dos israelitas, usado para sustentar os estrangeiros, os órfãos e as viúvas, e também para prover recursos adicionais para os levitas.

Em sua obra *Neither Poverty nor Riches*, o erudito bíblico Craig Blomberg destaca que a soma desses três dízimos revela

---

[8] Além dos três dízimos que todo israelita devolvia, os levitas entregavam um quarto dízimo separado para os sacerdotes.

[9] Croteau, *You Mean I Don't Have to Tithe?*, p. 103.

RIQUEZA E DOAÇÃO NA BÍBLIA **31**

que a maioria dos israelitas doava cerca de 23% de sua renda todos os anos, não 10% como se costuma ensinar nas igrejas atuais (10% do dízimo levítico, mais 10% do dízimo festival, mais 10% do dízimo de caridade, ofertado em dois de cada período de sete anos, totaliza cerca de 22,9%).[10] Também é válido destacar que era intenção divina usar um desses três dízimos para a realização de uma festa gigantesca! Deus deseja que usemos seus dons de provisão para nossa recreação, bem como para servir os outros.

Outras leis mosaicas: A lei de Moisés contém diversos outros mandamentos relativos à riqueza e ao dinheiro, além dos específicos relacionados ao dízimo. A maioria deles diz respeito a ajudar os pobres.

- Êxodo 22 e 23 instruem os israelitas a garantir não só sustento, como também justiça e oportunidade para os pobres: "Não explore a viúva nem o órfão (Êx 22.22); "Não negue a justiça ao pobre em um processo legal" (Êx 23.6).
- Levítico 25 contém uma série de orientações com o objetivo de proteger e ajudar os pobres, o que inclui o Ano do Jubileu e outros mecanismos para redimir famílias que perderam suas propriedades. O Ano do Jubileu era, em essência, um "botão de reiniciar" que a sociedade israelita apertava a cada cinquenta anos. Todos os arrendamentos de terra acabavam e cada família voltava para a terra de sua herança. Além disso, todos os servos sem contrato eram libertos de seus senhores.[11]

[10] Blomberg, *Neither Poverty nor Riches*, p. 89.
[11] De acordo com o professor Cox, da Harvard Divinity School, alguns pesquisadores duvidam que os israelitas tenham de fato obedecido aos mandamentos ligados ao Ano do Jubileu. No entanto, há evidências de que os israelitas recorriam a várias formas de sofismas a fim de evitar o cumprimento dessas ordens. Essas táticas continuam até hoje. No sétimo ano, quando a terra não

- Deuteronômio 15 articula uma série de mandamentos relacionados ao cuidado dos pobres, incluindo a ordem direta de cuidar dos pobres da comunidade. Muitas outras passagens do Pentateuco apresentam ideias semelhantes. O tema é claro: a riqueza é um dom de Deus, e uma das funções dos ricos é prover para a comunidade, sobretudo para os pobres.

Os "estudos de caso"

Essas lições ligadas à riqueza e ao dinheiro são representadas na vida de diversos personagens bíblicos. A vida dos personagens da Bíblia costuma ser estudada com base em uma perspectiva mais ampla, em que o dinheiro assume valor apenas periférico. Porém, quando nos concentramos de forma direta nos aspectos monetários de cada história, novos *insights* começam a aparecer.

Boaz (livro de Rute): Boaz, um rico fazendeiro de Belém, se casa com Rute, viúva cujo marido falecido era parente de Boaz.[12] Boaz trata Rute, uma viúva estrangeira, com bondade extraordinária antes mesmo de saber que eles tinham certo parentesco. A vida dos dois se cruza pela primeira vez quando Boaz permite que

---

deve ser cultivada, muitos plantam alimentos hidropônicos. Outros "vendem" tecnicamente a terra a um gentio por um ano. Ver também Michele Chabin, "In Israel, growing crops under biblical land laws", USA Today, <http://www.usatoday.com/story/news/world/2014/10/02/yom-kippur-israel-agriculture-fallow/16599363/>. Acesso em 29 de maio de 2019.

[12] O costume de que a viúva se casasse com um parente do esposo falecido é chamado de casamento por levirato e é ordenado em Deuteronômio 25.5-6. Essa prática visava proteger a viúva e os filhos em uma sociedade na qual as mulheres não tinham condições de gerar renda própria após a morte do marido. O casamento por levirato podia ser evitado por meio de um ritual chamado "halizah", descrito em Deuteronômio 25.9-10. De acordo com o pai da igreja primitiva Júlio Africano, as divergências entre as genealogias de Jesus encontradas em Lucas e Mateus podem ser explicadas com base no casamento por levirato. Quando diferem, é porque uma genealogia segue a linhagem legal, ao passo que a outra opta pela linhagem bíblica.

imigrantes pobres "respiguem" sua terra durante a colheita. (Em Levítico 19.9-10, Deus ordena aos israelitas que deixem as extremidades de seus campos sem colher, fornecendo assim uma fonte de provisão para os pobres.) Embora se possa interpretar que a generosidade de Boaz em relação a Rute foi movida por um crescente interesse pessoal nela, ainda assim é possível aprender muito com a maneira como Boaz tratava os pobres de sua comunidade. É interessante notar que o mandamento sobre deixar grãos para os pobres respigarem em Levítico 19 se encontra em um trecho das Escrituras focado no amor ao próximo, junto a outras instruções acerca de roubo, opressão e injustiça. O exemplo de Boaz nos faz aprender que uma das funções essenciais da riqueza é ajudar o "menor destes meus irmãos" (Mt 25.40) e que aproveitar ao máximo os próprios bens à custa de quem passa necessidade é uma prática impiedosa, comparável a roubar, oprimir e ser injusto. Deus espera que aqueles de nós que fomos abençoados com fartura atendamos ativamente às necessidades dos pobres em nossas comunidades.[13]

Davi (1—2Samuel; 1Crônicas) e Salomão (2Crônicas; 1Reis): O relato do uso da riqueza pelos reis Davi e Salomão é bem conflitante. De um lado, tanto Davi quanto Salomão obtiveram boa parte de suas riquezas por meio de impostos pesados cobrados de nações que Davi derrotou em batalha. Aliás, a história sangrenta do envolvimento de Davi em guerras foi o motivo pelo qual Deus o proibiu de construir um templo em Jerusalém. Em contrapartida, tanto Davi quanto Salomão usaram sua riqueza para impulsionar um crescimento econômico significativo em Israel mediante investimentos e comércio internacional. Além

---

[13] Christopher J. H. Wright, "The Righteous Rich in the Old Testament", <https://theotherjournal.com/2010/08/05/the-righteous-rich-in-the-old-testament/>. Acesso em 29 de maio de 2019.

34 DEUS E O DINHEIRO

disso, Davi tinha o desejo profundo de usar sua riqueza a serviço do Senhor. Sua decisão de doar considerável riqueza pessoal para o projeto de construção do templo, mesmo depois de Deus o impedir de liderar a construção, motivou uma campanha nacional de arrecadação que deu a Salomão as condições para construir o santuário. Conforme explica Christopher Wright, especialista em Antigo Testamento, Davi "reconhece a verdadeira fonte de toda riqueza (o próprio Deus) e a comparativa indignidade de toda doação humana, que consiste simplesmente em devolver ao Senhor aquilo que já lhe pertence".[14]

Podemos aprender muito com Davi e Salomão acerca da riqueza e do dinheiro, tanto aspectos positivos quanto negativos. Percebemos que a riqueza pode ser obtida por meios injustos; que a riqueza pode impulsionar a atividade econômica e prover meios de sustento para outros dentro da comunidade; que a riqueza pode tornar possível a realização do bem, mas também tem o poder de corromper o coração; e que toda doação deve ser marcada por "um espírito voluntário, sincero e alegre, junto com intenções honestas, íntegras e de adoração, que honrem a Deus".[15]

Literatura de sabedoria

Jó, Salmos, Provérbios e Eclesiastes contêm muitas pérolas de sabedoria.

Jó (livro): A vida de Jó apresenta um exemplo maravilhoso da soberania de Deus sobre nossa riqueza — aliás, sobre toda nossa existência. Jó, um homem extremamente rico, era também extraordinariamente "íntegro e correto". Satanás desafiou Deus a permitir que a retidão de Jó fosse provada por meio da destruição de sua casa, da morte de seus filhos, da eliminação de sua

[14] Idem.
[15] Idem.

riqueza e da perda de sua saúde. Sem saber desse conflito entre Deus e Satanás, Jó é forçado a argumentar a favor de sua inocência com seus amigos, os quais alegam que ele devia ter cometido algum pecado terrível para merecer tamanha punição. Em sua defesa, Jó conta como, além de não oprimir os pobres, ele também usava sua riqueza para resgatar e abençoar os necessitados. Ele "auxiliava" os pobres e os órfãos; trazia "alegria" ao coração das viúvas; servia de "olhos para os cegos", "pés para os aleijados" e "pai para os pobres" (Jó 29.12-17). Chegava a ser proativo, defendendo "a causa dos estrangeiros" (Jó 29.16). É claro que Jó também usava a riqueza que tinha para abençoar sua família e comunidade, fazendo banquetes regulares para seus filhos e servos (Jó 1.4-5). No capítulo 31, Jó demonstra a atitude apropriada que devemos ter em relação à riqueza. Ele "usou sua riqueza com generosidade, sem colocar sua segurança final nela, empregando-a a serviço dos outros, sem obtê-la por meio da exploração de seus funcionários".[16] Com Jó, aprendemos como controlamos pouco nossa riqueza, e também qual é a conduta responsável quando somos abençoados com recursos financeiros.

Salmos, Provérbios e Eclesiastes: Esta lista é apenas uma apresentação muito superficial da sabedoria contida nesses três grandes livros.

Salmos
- Salmo 15 adverte contra a busca injusta de ganho financeiro.
- Salmo 37 lembra que a retidão deve receber prioridade em relação à riqueza.
- Salmo 73 observa que a vida costuma ser cheia de injustiça econômica, a qual só será resolvida, em última instância, na eternidade.

---

[16] Idem.

36 DEUS E O DINHEIRO

- Salmo 111 reitera que todas as bênçãos vêm do Senhor.
- Salmo 112 afirma que devemos ser generosos por causa da generosidade do Senhor para conosco.

Provérbios
- Provérbios 3.9-10 nos lembra que Deus nos provê alegremente com fartura.
- Provérbios 14.31 e 17.5 afirmam que a opressão dos pobres é um insulto ao nosso Criador.
- Provérbios 19.17 diz que a generosidade aos pobres será recompensada pelo Senhor.
- Provérbios 22.2 nos lembra que tanto os pobres quanto os ricos são criaturas de Deus.
- Provérbios 22.7 nos adverte de que aquele que pega emprestado é escravo do credor.
- Provérbios 23.4-5 alerta contra labutar em vão para adquirir riquezas, pois elas desaparecem "num piscar de olhos" e se vão.
- Provérbios 29.7 destaca que os justos devem apoiar e defender o direito dos pobres.

Eclesiastes
- Eclesiastes 2.9-11 conta como o autor, o rei Salomão, tinha tudo que alguém poderia desejar na vida, porém chegou à conclusão final de que "nada fazia sentido; era como correr atrás do vento".
- Eclesiastes 5.10 adverte: "Quem ama o dinheiro nunca terá o suficiente", porque junto com o amor ao dinheiro vêm temores e preocupações em excesso.
- Eclesiastes 5.19 nos aconselha a desfrutar as bênçãos que Deus nos dá. De fato, é ele quem nos concede poder para desfrutar suas provisões.
- Eclesiastes 9.12 nos recorda que "ninguém é capaz de prever

quando virão os tempos difíceis", não importa quanta riqueza mundana possua.

Os profetas

Por fim, temos as exortações dos profetas acerca de como devemos usar nossa riqueza. Há dezessete livros de profecia no Antigo Testamento, alguns deles cheios de comentários sobre as questões financeiras.

Na maioria das vezes, os profetas clamam contra a injustiça, sobretudo a injustiça contra os pobres. Martin Luther King Jr. fez uma citação do profeta Amós, que declarou: "Corra a retidão como um rio, a justiça como um ribeiro perene" (Am 5.24, NVI). Amós 8 condena aqueles que davam jeitinhos ou trapaceavam para adquirir mais riqueza no mercado.

Já o profeta Isaías lamenta por aqueles que observavam jejuns de natureza religiosa, mas continuavam a explorar os oprimidos. Por meio do profeta, o Senhor nos revela que prefere nos ver fazendo o seguinte: "Soltem os que foram presos injustamente [...]. Libertem os oprimidos [...]. Repartam seu alimento com os famintos, ofereçam abrigo aos que não têm casa" (Is 58.6-7).

Miqueias chama Israel a um estilo de vida melhor com a célebre declaração: "Ó povo, o Senhor já lhe declarou o que é bom e o que ele requer de você: que pratique a justiça, ame a misericórdia e ande humildemente com seu Deus" (Mq 6.8).

Jeremias condenou o rei Salum, filho do justo rei Josias, por construir uma bela casa de cedros ao passo que não assumiu a causa dos pobres. Disse, em tom desafiador, que julgar com justiça a causa dos pobres e necessitados é conhecer a Deus (Jr 22.13-16).

Em Habacuque, aprendemos que devemos nos alegrar no Deus da nossa salvação, ainda que "a colheita de azeitonas não dê em nada e os campos fiquem vazios e improdutivos" (Hc 3.17-19). As dificuldades econômicas não devem nos levar a deixar de depender do Senhor ou confiar nele.

Os profetas apresentam uma tocante e convincente mensagem acerca de nossa riqueza: ela deve auxiliar a causa dos necessitados, estender justiça aos oprimidos e ser obtida de maneira honesta, sem explorar os vulneráveis.

É claro que Deus deseja que desfrutemos sua tremenda provisão, mesmo enquanto buscamos servir os outros. Em Malaquias 3.10, lemos: "'Tragam todos os seus dízimos aos depósitos do templo, para que haja provisão em minha casa. Se o fizerem', diz o SENHOR dos Exércitos, 'abrirei as janelas do céu para vocês. Derramarei tantas bênçãos que não haverá espaço para guardá-las!'".

Conclusões do Antigo Testamento

O que o Antigo Testamento nos ensina sobre riqueza e doação? Primeiro, o uso adequado das posses desempenha, desde o princípio, papel importante em um relacionamento correto com Deus. A retidão se torna visível por meio da administração justa e generosa da riqueza.

Em segundo lugar, na vida de muitos personagens bíblicos, a fé desempenhava papel crucial ao ditar seu comportamento relativo a riqueza e doação. Foi um fator positivo para Abel, Abraão, Boaz e Jó; negativo para Caim e Jacó; e misto para Davi e Salomão. A capacidade que o dinheiro tem de fazer muito bem, mas também de causar muito mal, é o provável motivo para as Escrituras dedicarem tanto espaço ao assunto.

Em terceiro lugar, fica claro que Deus considera a justiça aos pobres uma responsabilidade central daqueles que foram abençoados com riquezas — não por meio de palavras de afirmação teologicamente "corretas" porém vazias, mas sim mediante ações visíveis. O mais importante é aprendermos a relação apropriada entre nós, nossa riqueza e Deus. Deuteronômio 8.18 sintetiza tudo isso da melhor maneira: "Lembrem-se do SENHOR, seu Deus. É ele que lhes dá força para serem bem-sucedidos".

Riqueza e doação no Novo Testamento

Onde seu tesouro estiver, ali também estará seu coração.

Jesus, em Mateus 6.21

O que Jesus ensinou

Jesus falou repetidas vezes sobre riqueza, dinheiro e doação. Examinamos aqui uma amostra de seus ensinos, selecionados para destacar os principais pilares da perspectiva de Jesus acerca desses temas.

Sermão do Monte (Mt 5—7; Lc 6): O Sermão do Monte possivelmente foi proferido mais perto do início do ministério de Jesus, pouco depois de ele ser batizado por João.[17] Jesus não perdeu tempo e virou o mundo de cabeça para baixo com seus ensinos. Na versão de Lucas do evento, lemos: "Felizes são vocês, pobres, pois o reino de Deus lhes pertence. Felizes são vocês que agora estão famintos, pois serão saciados [...]. Que aflição espera vocês, ricos, pois já receberam sua consolação! Que aflição espera vocês que agora têm fartura, pois um terrível tempo de fome os espera!" (Lc 6.20-21,24-25). Alguns estudiosos chamam esses versículos de a "grande reviravolta" do ministério de Jesus, pois, ao contrário da sociedade tradicional judaica, que elevava e honrava os ricos, Cristo veio para apoiar os pobres e fracos.[18] (Aliás, em Lc 4.18, Jesus anunciou que viera para proclamar boas-novas aos pobres.) As palavras de Jesus tinham o objetivo de salientar duas características importantes do reino de Deus: os pobres finalmente terão suas necessidades satisfeitas ao buscar o Senhor, ao passo que os ricos precisam tomar cuidado com a tendência

---

[17] Cathy Deddo, "Sermon on the Mount", <http://www.trinitystudycenter.com/about_us.php>. Acesso em 27 de maio de 2019.

[18] Brian Stanley, "Evangelical Social and Political Ethics: An Historical Perspective", in: *Evangelical Quarterly* 62.1 (1990), p. 19-36, versão impressa.

de se deleitar e confiar em riquezas terrenas, em vez de confiar em Deus. Não é a pobreza em si que torna as pessoas abençoadas pelo Senhor, mas sim a disposição humilde, dependente e confiante em Deus que muitas vezes observamos acompanhando os pobres oprimidos nas Escrituras. De igual modo, as riquezas em si não são más, mas somente se forem obtidas ou usadas injustamente, uma condição encontrada com demasiada frequência neste mundo caído.

O jovem rico (Lc 18.18-30): Um jovem rico perguntou a Jesus o que podia fazer para alcançar a vida eterna, destacando que guardara fielmente todos os mandamentos (a lei mosaica) durante toda a sua vida. Jesus respondeu instruindo o jovem a vender todos os seus bens, dá-los aos pobres e passar a segui-lo. As Escrituras contam que o jovem rico "se entristeceu", ao que Jesus respondeu: "É mais fácil um camelo passar pelo buraco de uma agulha que um rico entrar no reino de Deus".

Muitos leitores já se questionaram se Jesus quis dizer que todos devem vender seus bens a fim de segui-lo, enquanto outros já indagaram se ele realmente foi literal ao afirmar que nenhum rico pode entrar no céu. Não cremos que seja assim.

Em primeiro lugar, nesta mesma passagem, Jesus faz uma ressalva à sua declaração de exclusão dos ricos com as seguintes palavras de esperança: "O que é impossível para as pessoas é possível para Deus" (v. 27).

Em segundo lugar, em nenhuma outra parte das Escrituras Jesus ordena a alguém que venda todos os seus bens, nem a outros ricos com quem interagiu. Por exemplo, em Lucas 19, quando Zaqueu, o rico cobrador de impostos, doou metade de seus bens, Jesus proclamou: "Hoje chegou a salvação a esta casa" (v. 9). Jesus não comentou, em tom de crítica: "Ei, mas você *só* doou metade!".

Muitos estudiosos da Bíblia acreditam que Jesus estava dizendo que o jovem rico havia transformado a riqueza em ídolo.

Em Lucas 16.13, Jesus disse: "Ninguém pode servir a dois senhores [...]. Vocês não podem servir a Deus e ao dinheiro". Em nossa opinião, essa foi a lição central que Jesus queria transmitir ao jovem rico: ele não poderia seguir a Cristo (e, assim, obter a salvação) sem renunciar à idolatria de sua riqueza abrindo mão dela ao doá-la.

Parábola do rico insensato (Lc 12.13-21): Jesus conta a história de um homem rico cuja terra "produziu boas colheitas", preenchendo por completo os celeiros do dono. Então ele pensou consigo: "Já sei! Vou derrubar os celeiros e construir outros maiores. Assim terei espaço suficiente para todo o meu trigo e meus outros bens. Então direi a mim mesmo: Amigo, você guardou o suficiente para muitos anos. Agora descanse! Coma, beba e alegre-se!". Deus, porém, lhe diz: "Louco! Você morrerá esta noite. E, então, quem ficará com o fruto do seu trabalho?". Jesus conclui: "Sim, é loucura acumular riquezas terrenas e não ser rico para com Deus". Essa parábola destaca claramente a inutilidade de acumular riquezas neste mundo sem ter a visão de usar tais recursos para propósitos eternos. Além de desperdiçar esforços, acumulando bens que logo se desvanecerão, também nos iludimos ao pensar que estamos garantindo segurança para nós. A realidade é que colocamos a fé em "bens perecíveis"! Essa passagem é pungente, sobretudo para muitos norte-americanos (inclusive nós mesmos!) que têm a aspiração de construir um patrimônio de segurança para garantir vinte anos de aposentadoria ou mais.

O rico e Lázaro (Lc 16.19-31): Um homem rico "se vestia de púrpura e linho fino e vivia sempre cercado de luxos", enquanto à sua porta ficava "um mendigo coberto de feridas chamado Lázaro. Ele ansiava comer o que caía da mesa do homem rico". Ambos morreram. O rico foi para o Hades, e Lázaro foi para o lado de Abraão no céu. O rico clamou: "Pai Abraão, tenha compaixão de mim! Mande Lázaro aqui para que molhe a ponta do dedo em água e refresque minha língua. Estou em agonia nestas chamas!". Mas Abraão negou o pedido do homem, lembrando que o rico, em vida, "teve tudo que queria e Lázaro não teve coisa alguma".

O rico não fez nenhum mal direto contra Lázaro enquanto eles estavam vivos. No entanto, tampouco fez algo para aliviar o sofrimento do mendigo, mesmo que este ficasse todos os dias à sua porta implorando por migalhas. As primeiras palavras do homem rico a Abraão revelam seu real problema: o coração endurecido em relação a Lázaro. Mesmo estando no Hades, o rico considerava Lázaro inferior, um mero serviçal. Ele nem se dignou a falar diretamente com Lázaro ao pedir ajuda! Caso aquele rico conhecesse e amasse a Deus, teria demonstrado isso em sua maneira de tratar os necessitados. Sua ruína não ocorreu por causa do tratamento que dispensou a Lázaro, mas, sim, por sua total indiferença por este, que também era filho de Abraão.

Tesouros armazenados no céu (Lc 12.33-34): As quatro passagens anteriores destacam a inutilidade — e até mesmo o perigo espiritual — de acumular riquezas e confiar nelas. Então o que deveríamos fazer com nossos recursos? Jesus diz nesta passagem: "Vendam seus bens e deem aos necessitados. Com isso, ajuntarão tesouros no céu, e as bolsas no céu não se desgastam nem se desfazem. Seu tesouro estará seguro; nenhum ladrão o roubará e nenhuma traça o destruirá. Onde seu tesouro estiver, ali também estará seu coração". O economista e autor cristão Ron McKenzie resume muito bem essa passagem: "A melhor maneira de transferir riquezas para o céu é dando aos pobres".[19]

---

[19] Ron McKenzie, "Jesus on Money", <http://kingwatch.co.nz/Christian_Political_Economy/jesus_on_money.htm>. Acesso em 27 de maio de 2019.

RIQUEZA E DOAÇÃO NA BÍBLIA   **43**

Em vez de acumular riquezas neste mundo, devemos acumular "riquezas" no céu, ao fazer a obra de Deus aqui na terra. No entanto, a mensagem de Jesus é bem mais profunda que simplesmente transferir "bens" para um "banco" mais seguro. Suas palavras oferecem um vislumbre perspicaz da natureza humana pecaminosa: somos naturalmente propensos a nos concentrar em acumular riquezas e gastar de maneira narcisista. Sempre que focamos os tesouros terrenos, corremos o risco de nos corromper pelo materialismo, pelo egoísmo e pela ganância. Se, em vez disso, colocarmos o foco nos tesouros celestiais, teremos a possibilidade de experimentar as sagradas bênçãos divinas do altruísmo, do serviço e da paz.

O juízo final (Mt 25.31-45): O ensino derradeiro de Jesus que analisaremos pinta um quadro ousado das intenções de Deus para nossa riqueza. As palavras são poderosas demais para ser resumidas, por isso reproduzimos a passagem inteira:

Quando o Filho do Homem vier em sua glória, acompanhado de todos os anjos, ele se sentará em seu trono glorioso. Todas as nações serão reunidas em sua presença, e ele separará as pessoas como um pastor separa as ovelhas dos bodes. Colocará as ovelhas à sua direita e os bodes à sua esquerda.

Então o Rei dirá aos que estiverem à sua direita: "Venham, vocês que são abençoados por meu Pai. Recebam como herança o reino que ele lhes preparou desde a criação do mundo. Pois tive fome e vocês me deram de comer. Tive sede e me deram de beber. Era estrangeiro e me convidaram para a sua casa. Estava nu e me vestiram. Estava doente e cuidaram de mim. Estava na prisão e me visitaram".

Então os justos responderão: "Senhor, quando foi que o vimos faminto e lhe demos de comer? Ou sedento e lhe demos de beber? Ou como estrangeiro e o convidamos para a nossa casa? Ou nu e o vestimos? Quando foi que o vimos doente ou na prisão e o visitamos?".

E o Rei dirá: "Eu lhes digo a verdade: quando fizeram isso ao menor destes meus irmãos, foi a mim que o fizeram".

Em seguida, o Rei se voltará para os que estiverem à sua esquerda e dirá: "Fora daqui, malditos, para o fogo eterno preparado para o diabo e seus anjos. Pois tive fome, e vocês não me deram de comer. Tive sede, e não me deram de beber. Era estrangeiro, e não me convidaram para a sua casa. Estava nu, e não me vestiram. Estava doente e na prisão, e não me visitaram".

Então eles dirão: "Senhor, quando o vimos faminto, sedento, como estrangeiro, nu, doente ou na prisão, e não o ajudamos?".

Ele responderá: "Eu lhes digo a verdade: quando se recusaram a ajudar o menor destes meus irmãos e irmãs, foi a mim que se recusaram a ajudar".

Jesus usa uma linguagem bem clara acerca do que nós, cristãos, somos chamados a fazer com nossa riqueza: servir os pobres. Aliás, Jesus chega ao ponto de dizer que, ao servir os pobres, nós o estamos servindo *diretamente*. (Isso lembra a afirmação de Jeremias de que cuidar da causa dos necessitados é *conhecer a Deus*.) É provável que, nessa parábola, Jesus esteja focalizando especificamente a ampla preocupação de Deus com os mais destituídos dos cristãos, ou mensageiros cristãos, que vivem em pobreza. (Observe a linguagem explícita de Jesus: "o menor destes meus irmãos".) De fato, se não cuidarmos das necessidades práticas prementes daqueles que pertencem à nossa "família espiritual", nosso suposto relacionamento com essa família pode ser questionado. Essa parece ser a principal ideia destacada por Jesus. Nossa maneira de tratar outros cristãos que passam necessidade mostra quem de fato somos, e nossos atos serão testemunhas dessa verdade no dia do juízo.

Ao falar sobre o cuidado para com outros crentes, Jesus não nega nossa obrigação mais ampla de tomar conta de qualquer pessoa necessitada. Somos lembrados da exortação semelhante de Paulo em Gálatas 6.10: "Por isso, sempre que tivermos

RIQUEZA E DOAÇÃO NA BÍBLIA **45**

oportunidade, façamos o bem a todos, *especialmente aos da família da fé*" (grifos nossos).

Como poderíamos resumir os ensinos de Jesus sobre riqueza e liberalidade? A "grande reviravolta" articulada por Jesus durante o Sermão do Monte destaca tanto o amor de Deus pelos pobres quanto a tendência natural dos ricos de depender em demasia dos próprios recursos financeiros. A experiência do jovem rico e a parábola do rico insensato destacam o perigo e a inutilidade de idolatrar e acumular riquezas. A parábola do rico e Lázaro salienta o pecado de ignorar os pobres. Em vez disso, devemos ter consideração por eles e atender proativamente a suas necessidades. A ordem de acumular tesouros no céu apresenta uma reflexão importante sobre o ídolo perigoso e sedutor que a riqueza de fato é. Por fim, na fala sobre o juízo final, nos últimos momentos do ministério de Jesus, o ciclo do Sermão do Monte se encerra: Jesus se identifica tão de perto com os pobres que afirma que o servimos diretamente quando servimos a eles. Suas lições sobre riqueza e dinheiro são difíceis, porém claras. Ele tem expectativas elevadas acerca de como administramos nossa riqueza e nossos donativos.

O que os apóstolos ensinavam

Passamos agora para a segunda metade do Novo Testamento, resumindo o que os apóstolos e outros autores do Novo Testamento têm a dizer acerca de riqueza, dinheiro e doação. Como já era de se esperar, os apóstolos e outros autores do Novo Testamento estão bem alinhados com os ensinamentos de Jesus sobre esses assuntos. Mais uma vez, selecionamos apenas algumas das muitas passagens do Novo Testamento acerca dos temas em questão. Agrupamos os textos em dois tópicos principais: nossa atitude em relação a riqueza e dinheiro e nossa atitude em relação a doação.

Atitude em relação a riqueza e dinheiro: O autor de Hebreus nos adverte: "Não amem o dinheiro; estejam satisfeitos com o que têm" (Hb 13.5). Paulo reforça o ensino de Jesus ao dizer: "Não trouxemos nada conosco quando viemos ao mundo, e nada levaremos quando o deixarmos. [...] Mas aqueles que desejam enriquecer caem em tentações e armadilhas e em muitos desejos tolos e nocivos, que os levam à ruína e destruição. Pois o amor ao dinheiro é a raiz de todo mal" (1Tm 6.7,9-10). Observe que Paulo não diz que o *dinheiro* é a raiz de todo mal, mas sim *o amor ao dinheiro*. Ele continua a dar conselhos sábios para os ricos "deste mundo": "Não se orgulhem nem confiem em seu dinheiro, que é incerto. Sua confiança deve estar em Deus, que provê ricamente tudo de que necessitamos para nossa satisfação. Diga-lhes que usem seu dinheiro para fazer o bem. Devem ser ricos em boas obras e generosos com os necessitados, sempre prontos a repartir. Desse modo, acumularão tesouros para si como um alicerce firme para o futuro, a fim de experimentarem a verdadeira vida" (1Tm 6.17-19).

Atitude em relação a doação: Lucas registra as palavras de Paulo, que diz: "Fui exemplo constante de como podemos, com trabalho árduo, ajudar os necessitados, lembrando as palavras do Senhor Jesus: 'Há bênção maior em dar que em receber'" (At 20.35).

É claro que uma das maneiras de dar é prover para nossa família. Paulo afirma: "Aqueles que não cuidam dos seus, especialmente dos de sua própria família, negaram a fé e são piores que os descrentes" (1Tm 5.8).[20]

O apóstolo também reflete sobre a atitude apropriada, o montante, a motivação e a prática de doar. Ele escreve: "Visto que

---

[20] Observe que Paulo declara "aqueles que não cuidam dos seus", em vez de "aqueles que não podem cuidar dos seus". Deuteronômio 15.11 afirma: "Sempre haverá pobres na terra". Não é pecado ser incapaz de sustentar a própria família, contanto que o indivíduo esteja de fato tentando fazê-lo. Paulo está se referindo estritamente a pessoas que poderiam prover para a família, mas escolhem não fazer isso por causa do egoísmo ou de más decisões financeiras.

RIQUEZA E DOAÇÃO NA BÍBLIA   **47**

vocês se destacam em tantos aspectos [...] queríamos que também se destacassem no generoso ato de contribuir. [...] No momento, vocês têm fartura e podem ajudar os que passam por necessidades. Em outra ocasião, eles terão fartura e poderão compartilhar com vocês quando for necessário. [...] Cada um deve decidir em seu coração quanto dar. Não contribuam com relutância ou por obrigação. 'Pois Deus ama quem dá com alegria.' [...] Em tudo vocês serão enriquecidos a fim de que possam ser sempre generosos. E, quando levarmos sua oferta para aqueles que precisam dela, eles darão graças a Deus" (2Co 8.7,14; 9.7,11).

Essas passagens de Paulo e de outros escritores do Novo Testamento reafirmam os ensinos de Jesus sobre riqueza e dinheiro ao destacar a tentação e a inutilidade de correr atrás de riquezas, incentivando-nos a acumular tesouros no céu e reiterando a importância de doar com generosidade aos pobres.

Um breve comentário sobre os dízimos na nova aliança

Agora que o preço de tudo está subindo, você não fica feliz que o Senhor não aumentou o dízimo para 15%?

Anônimo

Desejamos apresentar brevemente um tema polêmico na igreja atual: os cristãos têm a obrigação de dar o dízimo? Definimos aqui o dízimo de maneira específica como uma contribuição religiosa equivalente a 10% da renda pessoal. O ensino sobre o dízimo nos dias de hoje pode ser dividido, de modo geral, em três categorias:

1. Os cristãos têm a obrigação de devolver o dízimo.
2. Os cristãos "deveriam" devolver o dízimo, mesmo não sendo tecnicamente obrigados a fazê-lo.
3. Os cristãos não têm a obrigação de devolver o dízimo.

48 DEUS E O DINHEIRO

Até mesmo os pastores se dividem a esse respeito. Em 2011, uma pesquisa com pastores e líderes de denominações foi realizada pela National Association of Evangelicals, por organizações missionárias e por universidades cristãs. O levantamento descobriu que 42% dos participantes creem que a doação de 10% da renda pessoal é uma ordem da Bíblia para os cristãos da nova aliança, ao passo que 58% acham que não.[21]

Qual é o motivo para essa divisão de opiniões? Ao comentar essa pesquisa, o dr. John Walton, professor de Antigo Testamento na Wheaton College, explicou que tudo "remonta à antiga discussão: estamos debaixo da lei ou da graça?".[22] Ou seja, até que ponto as leis do Antigo Testamento foram ab-rogadas (cumpridas e, por isso, não mais em vigor) pela morte de Cristo? Jesus disse: "Não pensem que eu vim abolir a lei de Moisés ou os escritos dos profetas; vim cumpri-los" (Mt 5.17). No entanto, o apóstolo Paulo afirma: "Vocês já não vivem sob a lei, mas sob a graça de Deus" (Rm 6.14), e continua: "Pois Cristo é o propósito para o qual a lei foi dada" (Rm 10.4).

Uma forma comum de explicar essa aparente discrepância é que Cristo cumpriu os aspectos civil e cerimonial da lei do Antigo Testamento. (Por isso, os cristãos não oferecem sacrifícios no templo e comem carne de porco.) Cristo também cumpriu os requisitos morais da lei mediante uma vida de obediência perfeita e mediante sua morte por causa de nosso fracasso moral. Todavia, os mandamentos do Antigo Testamento que refletem verdades morais atemporais (alicerçados na própria natureza de Deus e na estrutura da criação) continuam a encontrar expressão

---

[21] Michelle Vu, "Most Evangelical Leaders Say Tithe Not Required by Bible", Christian Post, 7 de abril de 2011, <http://www.christianpost.com/news/most-evangelical-leaders-say-tithe-not-required-by-bible-49744/>. Acesso em 27 de maio de 2019.
[22] Idem.

na obediência do povo de Deus na nova aliança, a qual ocorre por meio do poder do Espírito.

A pergunta, então, seria quais mandamentos do Antigo Testamento representam princípios morais inerentes e, por isso, necessitam ser guardados hoje (p. ex., "Não matarás"), e quais ordens do Antigo Testamento possuem caráter civil, cerimonial ou culturalmente condicionadas em algum aspecto. Às vezes, cristãos fundamentados na Bíblia discordam a esse respeito.

Nós dois crescemos em igrejas evangélicas conservadoras típicas, nas quais o dízimo era o padrão áureo, pelo menos na prática, caso não fosse a regra. Entretanto, após pesquisar o assunto por conta própria, adquirimos a opinião de que os cristãos não têm a obrigação de dar o dízimo.[23] Defendemos esse ponto de vista por diversos motivos. Primeiro, a lei mosaica ordenava três dízimos distintos: o dízimo levítico, o dízimo festival e o dízimo de caridade. Quando somados, esses três dízimos representavam cerca de 23% da renda anual dos israelitas. Os cristãos que usam a lei do Antigo Testamento como base para prescrever o dízimo hoje deveriam defender a devolução de 23%, não de 10%![24] (É claro que, se seguirmos com exatidão as leis do dízimo do Antigo Testamento, parte do recurso deve ser destinado a pagar uma viagem e organizar uma celebração!)

Em segundo lugar, nem Jesus, nem Paulo, nem nenhum dos outros escritores do Novo Testamento deram a ordem específica de que os cristãos devem dar o dízimo. Jesus só fez menção explícita ao

---

[23] Nesta seção, fazemos uso frequente da excelente obra do professor Croteau, *You Mean I Don't Have to Tithe?.*

[24] É importante observar que as ofertas voluntárias (i.e., dadas além do dízimo obrigatório) também existiam no Antigo Testamento (Êx 35.29; Dt 16.10; Ed 3.5 etc.). Logo, o argumento de que os cristãos do Novo Testamento têm o dever de dar ofertas voluntárias, em lugar do dízimo do Antigo Testamento, é inválido, ou, no mínimo, incompleto.

dízimo duas vezes: Mateus 23.33 e Lucas 18.9-14.[25] Em Mateus 23, Jesus admoestou os fariseus por sucumbirem ao legalismo dando o dízimo dos temperos cultivados em casa e, ao mesmo tempo, negligenciando questões mais importantes, como a justiça, a misericórdia e a fidelidade. Em Lucas 18, Jesus conta uma parábola que contrasta um fariseu orgulhoso com um cobrador de impostos arrependido, advertindo contra o legalismo e lembrando-nos de permanecer humildes na fé. A principal lição que Jesus transmite nessas duas passagens não está ligada ao dízimo. Em vez disso, ele está defendendo uma ideia diferente, com o dízimo servindo como uma espécie de "apoio" para sustentar seu argumento.[26]

O Novo Testamento conta com outras passagens nas quais Jesus, Paulo ou outros escritores não mencionam de maneira direta o dízimo, mas discutem o "conceito" de dizimar.[27] Dentre elas, as mais interessantes se encontram em Mateus 22.15-22 ("Deem a César o que pertence a César, e deem a Deus o que pertence a Deus") e 1Coríntios 9.13-14 ("O Senhor ordenou que os que anunciam as boas-novas vivam pelas boas-novas"). Novamente, nenhuma passagem é sobre o dízimo *em si* (i.e., nem a ideia principal de Jesus, nem a de Paulo diziam respeito ao dízimo). Em nossa opinião, nenhuma das passagens tem força suficiente para instituir categoricamente o dízimo como uma ordem da nova aliança.[28]

Por fim, o Novo Testamento oferece muitas instruções sobre doar. A mensagem central dessa instrução é que, em vez de seguir uma fórmula estrita, a doação cristã deve demonstrar uma série de características qualitativas que honram e refletem o caráter de Deus.

---

[25] As palavras de Jesus em Mateus 23.23 também são parafraseadas em Lucas 11.42.

[26] Croteau, *You Mean I Don't Have to Tithe?*, p. 131.

[27] Mateus 22.15-22; 1Coríntios 9.13-14; 16.1-4; 2Coríntios 8.8; 9.7; Gálatas 6.6.

[28] Croteau, *You Mean I Don't Have to Tithe?*, p. 137.

RIQUEZA E DOAÇÃO NA BÍBLIA **51**

- 2Coríntios 8.3 e 9.7 ensinam que a doação deve ser feita de livre vontade (i.e., não compulsória).
- 2Coríntios 8.2-3 e Filipenses 4.17-18 ensinam que a doação deve ser generosa; Marcos 12.42-44 vai além, ensinando que Deus honra a doação feita em sacrifício.
- 2Coríntios 9.7 ensina que devemos dar com alegria.
- 2Coríntios 8.4-5 e 1Coríntios 9.3-14 ensinam que a doação deve sustentar os pastores locais.
- Atos 20.35 e Mateus 25.31-45, dentre muitas outras passagens, afirmam que as doações devem sustentar os pobres e necessitados de nossas comunidades.

Todas essas características da nossa doação de recursos — voluntária, generosa (até mesmo sacrificial), alegre e sustentadora dos ministros locais e dos pobres — refletem o próprio Deus em suas dádivas generosas (Tg 1.17-18). Em vez de seguir leis rígidas, o estilo de doação apresentado no Novo Testamento liberta os cristãos para servir os outros com generosidade, por gratidão à provisão divina.

Tudo isso dito, cremos que tanto o dízimo em si quanto seu ensino nas igrejas oferecem diversos benefícios práticos, mesmo que não seja uma exigência explícita feita aos cristãos da nova aliança. No excelente livro *Money, Possessions, and Eternity*, Randy Alcorn chama o dízimo de "as rodinhas de treinamento da doação".[29] O autor apresenta diversos benefícios específicos de dar o dízimo, que incluem a facilidade de ensiná-lo para os outros (sobretudo para as crianças), sua clareza e valor como disciplina espiritual, sua força catalisadora do crescimento espiritual geral e sua eficácia como ponto de partida para o aprendizado da alegria de dar.[30]

Também acreditamos que existe um benefício psicológico em adotar a mentalidade das "primícias" no que diz respeito à nossa

[29] Alcorn, *Money, Possessions, and Eternity*, p. 174.
[30] Idem, p. 182-185.

renda. No Pentateuco, Deus ordenou aos israelitas que lhe oferecessem os primeiros 10% de praticamente tudo que eles produzissem.[31] Alcorn afirma que, ao dar os *primeiros* 10%, os israelitas estavam transmitindo uma mensagem clara: "Damos o primeiro e o melhor para ti, Senhor, porque reconhecemos que todas as coisas boas vêm de tuas mãos".[32] Ao dar os primeiros 10% de nossa renda, podemos fazer essa mesma declaração hoje.

Por fim, nosso entendimento é que o dízimo não é uma obrigação, mas pode ser um excelente ponto de partida para os cristãos que procuram honrar a Deus por meio da generosidade. Concordamos com Alcorn que Jesus "nunca abaixou o padrão; ele sempre o elevou".[33] Lembre-se do que Jesus disse sobre homicídio, adultério e juramentos em Mateus 5.17-48. Cremos que o mesmo se aplica ao dízimo. Nossa ambição deve ser nos esforçarmos para alcançar um nível de generosidade muito superior ao do dízimo do Antigo Testamento.[34]

O PODER DO ENSINAMENTO BÍBLICO SOBRE RIQUEZA E DOAÇÃO

Hebreus 4.12 afirma que a Palavra de Deus é "viva e poderosa [...], penetrando entre a alma e o espírito [...] e trazendo à luz

---

[31] Incluindo o vinho, em Levítico 19.23-25; produtos agrícolas, em Êxodo 23.16; 34.22; Deuteronômio 18.4; e rebanhos, em Êxodo 34.19.

[32] Idem, p. 175.

[33] Idem, p. 182.

[34] Este ponto de vista é amparado pelo fato de que todos nós somos muito mais ricos que os israelitas. De acordo com Eric Beinhocker, em *The Origin of Wealth: The Radical Remaking of Economics and What It Means for Business and Society* (Brighton, MS: HBS Press, 2007), o Produto Interno Bruto per capita no mundo mediterrâneo antigo era de aproximadamente 150 dólares. Se formos generosos e presumirmos que cada membro da família recebia esse total, um núcleo familiar de quatro pessoas vivia com cerca de 600 dólares por ano! Se a lei de Deus requeria donativos generosos de indivíduos que ganhavam uma renda anual de 600 dólares, o que ela poderia requerer de uma sociedade abençoada com uma renda de mais de 50 mil dólares para a família média, ou seja, cerca de 85 vezes mais?

até os pensamentos e desejos mais íntimos". O poder do ensinamento bíblico sobre riqueza e doação vai muito além da mera investigação intelectual. Esse ensinamento tem o poder de mudar corações e salvar almas. Durante nossa pesquisa, encontramos um homem que conheceu em primeira mão o poder do ensino de Deus sobre riqueza e doação. Brandon Fremont fala com o sotaque suave e peculiar daqueles que cresceram na região pantaneira de Louisiana, no sul dos Estados Unidos. Ele também fala com um nível de confiança e convicção que só pode emergir da compreensão profunda de quem se é e de qual é seu papel nesta terra. Hoje, com quarenta e poucos anos, Brandon é sócio de um fundo de investimento livre bem-sucedido em Chicago, Illinois. Cerca de quinze anos atrás, sua esposa e alguns amigos o convidaram para ler a Bíblia junto com eles e se reunir semanalmente a fim de debater o que fosse lido. Brandon concordou. Ao longo de um período de um ano e três meses, ele leu a Bíblia inteira, de Gênesis a Apocalipse, e entregou o coração a Cristo nesse processo. Brandon conta: "Deus revelou a história de sua graça para mim, e minha vida mudou para sempre".

Levando em conta seu papel como administrador financeiro profissional, o dinheiro era uma área na qual Brandon estava animado para aplicar a nova fé. "Eu estava crescendo em minha caminhada com Cristo na época. Por ser um seguidor de Jesus, estava empolgado para crescer na área dos donativos. Escolhi alguns temas e disse: 'Quero entender tudo o que as Escrituras dizem a esse respeito.'" Brandon dedicou horas estudando os ensinamentos da Bíblia acerca do dinheiro e também credita uma influência significativa ao livro *Money, Possessions, and Eternity*, de Randy Alcorn.

"Entendi, com base nesse estudo, que o dízimo é o mínimo, é um ponto de partida. Nessa época, minha esposa e eu fazíamos parte de uma igreja que incentivava um compromisso anual, no qual o membro prometia quanto daria para o ano inteiro. Fui à igreja para o Dia do Compromisso anual. Estávamos prontos para prometer doar 10%. Eles mostraram o número de pessoas em diferentes blocos [segundo o valor doado]. Fiz umas contas rápidas: com 10%, estaríamos entre o 1% que mais doava de toda a igreja! O pastor se levantou naquele dia e disse: 'Não vou pedir às pessoas que deem o dízimo... Não acho que seria realista. Mas peço que deem mais do que doaram ano passado.'"

Considerando a riqueza relativa da igreja, Brandon achou que estaria entre os iniciantes ao fazer o compromisso de doar 10%. Mas os dados mostraram que ele ficaria em meio ao 1% que mais doava de toda a igreja! E o pastor estava conformado com isso! Brandon lamenta: "Aquilo [o domingo de compromisso] foi triste demais. Foi naquele mês que, pela primeira vez, me debati com a questão de doar".

A despeito dessa contrariedade, Brandon continuou a honrar sua compreensão acerca dos ensinos divinos sobre a riqueza. "Ao longo dos anos seguintes, minha renda cresceu cada vez mais. Nós passamos a dar desproporcionalmente mais [do aumento da renda] para Deus todo ano. A pergunta que eu sempre me fazia era: 'O que vou fazer com esse *a mais*? Após três ou quatro anos, estávamos doando 100% do nosso aumento de renda em relação ao ano anterior."

Quando Brandon se tornou sócio, já estava dando de 40 a 60% do total de sua renda a Deus todos os anos. Mas ele é rápido em destacar que a mordomia não diz respeito apenas a doar o máximo possível. "O importante é a fidelidade. Não é interessante dar um caminhão de dinheiro, mas não pensar em suas outras decisões financeiras. Nem é válido separar um cheque com 10% e então fazer o que quiser com o restante do dinheiro. Em vez de ficar analisando tabelas ou traçando uma linha imaginária, eu me pergunto: 'Eu me sinto bem [acerca da minha fidelidade] em tudo que faço?'. Precisamos sempre voltar à Bíblia: o que as Escrituras dizem a esse respeito? Eu me pergunto: 'Qual é a sabedoria divina no tocante a essa decisão? Ótimo, vamos fazer isso então'. Sou mordomo no mistério de Cristo. Vou apenas refletir as Escrituras." Brandon chama isso de estar "em missão" por Cristo.

Além de doar com generosidade, Brandon também é coautor de um currículo de pequeno grupo para sua igreja, voltado para ensinar os outros a cuidar da riqueza e do dinheiro de uma maneira que honre a Deus. A primeira regra básica, citada na primeira página do estudo, diz: "Concentre-se na Palavra de Deus acerca do assunto".

Voltaremos depois à história de Brandon. Por enquanto, observe como toda a experiência dele começou: por um mergulho na Palavra de Deus, sobretudo nos ensinamentos divinos sobre riqueza e doação. A Bíblia transformou sua vida, desbloqueando um extraordinário espírito de generosidade dentro dele.

As Escrituras incluem mais de dois mil versículos acerca da riqueza e do dinheiro por um motivo: nossa maneira de lidar com as riquezas é crucial para nosso relacionamento com Deus! Randy Alcorn expressou essa ideia muito bem: "Deus vê nossas finanças e nossa fé como inseparáveis".[35] Por seguirmos a Cristo, devemos examinar cuidadosamente tudo o que Deus tem a dizer sobre o assunto. Quando eu (Greg) fiz isso, fiquei impressionado com a coerência, a clareza e a força da mensagem divina. Seus ensinamentos são difíceis, mas apenas quando os colocamos em prática é que aprendemos a experimentar a alegria única e vivificante que Deus oferece para aqueles que vivem generosamente.

---

[35] Alcorn, *The Treasure Principle*, p. 8.

2

SETE PRINCÍPIOS BÍBLICOS FUNDAMENTAIS SOBRE RIQUEZA E DOAÇÃO

Tudo o que temos é um presente de Deus, inclusive a riqueza. No entanto, conforme observo a mim mesmo e outros cristãos aumentando a renda e o patrimônio, enxergo a verdade profunda nas advertências bíblicas de que a riqueza é uma armadilha e o amor ao dinheiro (que pode se instalar a qualquer momento) se torna a raiz para todo tipo de mal. Infelizmente, isso é verdadeiro.

RESPOSTA À PESQUISA COM EMPRESÁRIOS CRISTÃOS QUE REALIZAMOS COMO PARTE DOS REQUISITOS DO CURSO NA HARVARD DIVINITY SCHOOL

Antes de mergulhar neste capítulo, primeiro gostaríamos de prestar nosso reconhecimento aos tantos pesquisadores que nos precederam no estudo do dinheiro e sua relação com as Escrituras. Incluímos uma lista de leitura no Apêndice A e recomendamos muito cada um dos recursos mencionados a qualquer um que se interessar em aprender mais sobre como honrar a Deus com o dinheiro.

Começamos este projeto por meio de um estudo longitudinal das Escrituras no que diz respeito a riqueza e doação. Nesse estudo, aprendemos muita coisa sobre a coerência, a clareza e a força do ensino de Deus sobre o assunto. No entanto, estávamos lutando com a dificuldade de traduzir todo esse conhecimento bíblico em uma estrutura pragmática de administração da riqueza. Necessitávamos de uma ponte entre a sabedoria dos

SETE PRINCÍPIOS BÍBLICOS FUNDAMENTAIS SOBRE RIQUEZA E DOAÇÃO **57**

patriarcas, dos profetas e de Jesus e a resposta para perguntas da vida prática, do tipo: "Como devo pensar ao comprar uma casa?".

Parecia que éramos funcionários novos de uma plataforma petrolífera, que haviam acabado de ler as duas mil páginas do manual de práticas de segurança da empresa, mas sem saber ao certo como de fato começar o trabalho. Precisávamos de um cartão de bolso plastificado com os "Principais pilares de segurança", contendo as instruções de segurança mais essenciais para impedir que funcionários novatos como nós sofressem ferimentos graves ou morte no local de trabalho.

Cada versículo dos ensinamentos divinos sobre o dinheiro se encontra cheio de sabedoria e reflexão. Às vezes, porém, nós, seres humanos, precisamos de uma "versão condensada" que nos ajude a aplicar tais ensinamentos em nossa vida cotidiana. Por isso, passamos bastante tempo tentando compilar todos os 2.350 versículos da Bíblia sobre as riquezas em um cartão dos "Principais pilares da riqueza e doação". Este capítulo apresenta o que denominamos os "Sete princípios bíblicos fundamentais sobre riqueza e doação". Pense nesses princípios como ferramentas para traduzir as lições de Deus sobre o dinheiro para nossas tomadas de decisões diárias e atuais acerca da riqueza e doação.

Para ser claros, estamos apenas repetindo o que Deus já disse. Os sete princípios que se seguem são nossa tentativa de resumir os ensinamentos divinos sobre dinheiro, riqueza e doação, sem acrescentar nada. Enquanto esperamos que o capítulo anterior tenha apresentado uma visão geral atraente dos ensinamentos de Deus sobre o dinheiro, também recomendamos que cada cristão realize o próprio estudo longitudinal das Escrituras sobre o assunto. Caso você o faça, pode decidir que, na verdade, há seis ou oito princípios fundamentais, em vez de sete. Tudo bem. Não estamos argumentando que nossos sete princípios contêm, de alguma forma, o selo santo da aprovação divina. Para nós, eles são apenas uma ferramenta útil para garantir que nossa estrutura de administração da riqueza e prática de doação seja, ao mesmo tempo, firmemente fundamentada nos ensinamentos divinos e prática para a tomada de decisões financeiras da vida real.

Dito isso, precisamos contar que, depois de fazer esse exercício, deparamos com uma ideia nova e útil — pelo menos nova e útil para nós! Ao longo de toda a pesquisa, o objetivo era descobrir como administrar nossa riqueza de maneira espiritual, com o foco específico em quanto deveríamos doar. Por fim, percebemos que estávamos fazendo a pergunta de trás para frente. Uma leitura fiel das Escrituras não leva à pergunta "Quanto eu devo doar?", mas, sim, "Com quanto eu preciso ficar?".

Essa nova visão nos atingiu como uma pedra depois de debatermos e formularmos os princípios fundamentais por um longo período. Passamos a entender esse *insight* como a conclusão natural do ensinamento bíblico acerca do dinheiro. Defendemos a validade dessa reflexão — não é "Quanto eu devo doar?", mas, sim, "Com quanto eu preciso ficar?" — ao longo destes sete princípios bíblicos fundamentais sobre riqueza e doação.

Tabela 1: Sete princípios bíblicos fundamentais sobre riqueza e doação

Categoria	Princípio
Riqueza	1. Tudo que "possuímos" na verdade pertence a Deus. *Tudo.*
	2. "Nossas" riquezas e posses devem ser usadas para os propósitos divinos.
	3. A riqueza é como a dinamite, com grande potencial tanto para o bem quanto para o mal.
	4. A riqueza mundana é passageira. Os tesouros celestiais são eternos.
Doação	5. Dar aos pobres com generosidade é um dever moral em um mundo caído.
	6. A doação deve ser voluntária, generosa (até mesmo sacrificial), alegre e voltada para as necessidades.
	7. A doação generosa rompe com o poder do dinheiro sobre nós.

Princípio 1: Tudo que possuímos pertence a Deus. *Tudo.*

Uma compreensão apropriada da riqueza e da doação começa com o reconhecimento de que tudo o que possuímos, na verdade, pertence a Deus. No entanto, aderir de fato a essa atitude é extraordinariamente difícil. Embora muitos de nós nos mostremos dispostos a reconhecer a soberania divina sobre a criação natural — montanhas, oceanos e até a bênção da vida humana —, costumamos relutar em atribuir uma soberania semelhante sobre nossa casa, nossos planos de férias e nosso contracheque.

Um dos possíveis motivos para isso é a tendência humana natural de atribuir nossos sucessos a fatores internos, mas os fracassos a fatores externos.[1] Em outras palavras, naturalmente enfatizamos nosso papel quando coisas boas acontecem em nossa vida. Mesmo quando damos crédito a Deus, costumamos vê-lo como parte do elenco coadjuvante, enquanto nos mantemos como protagonistas. "Graças a Deus por me colocar na posição de conseguir essa promoção! Finalmente todo o meu trabalho duro foi recompensado!"

Em contrapartida, a compreensão adequada de nossas posses — aliás, de toda a nossa existência — acontece por meio da lente da soberania divina. Todas as coisas foram criadas por ele e para ele (Cl 1.16). Logo, todas as coisas a ele pertencem (1Cr 29.11). Isso inclui nós mesmos: "Vocês não pertencem a si mesmos, pois foram comprados por alto preço" (1Co 6.19-20). Todavia, com frequência falhamos em reconhecer esse fato. Um amigo nosso brincou: "Somos sacrifícios vivos, mas infelizmente muitas vezes pulamos para fora do altar!".

Mesmo quando "merecemos" algo (p. ex., quando trabalhamos duro a fim de juntar dinheiro para dar entrada em uma casa), nós o fazemos usando as habilidades que Deus nos concedeu (Sl 144.1), em um emprego que o Senhor nos deu de presente (Êx 20.9), com

---

[1] Donelson Forsyth, "Self-Serving Bias", <https://facultystaff.richmond.edu/~dforsyth/pubs/forsyth2008selfserving.pdf>. Acesso em 29 de maio de 2019.

60   DEUS E O DINHEIRO

o apoio de uma organização e de uma economia política ordenadas por Deus (Rm 13.1-2). E a existência de tudo isso é mantida, momento a momento, por intermédio de Deus (Cl 1.17). Em outras palavras, o crédito é todo dele. Quais são os desdobramentos disso? Primeiro, deveríamos transbordar de gratidão a Deus pela profusão de bênçãos. Segundo, deveríamos reconhecer a importância de nosso papel de mordomos das posses divinas.

Princípio 2: Nossas riquezas *e posses* devem ser usadas para os propósitos divinos.

As Escrituras são claras ao dizer que Deus nos chamou para sermos mordomos de seus bens (Lc 12.42-43). Cremos, porém, que tem havido uma incompreensão básica na igreja hoje em torno da noção de mordomia. O termo "mordomia" é diluído por inúmeras "Comissões de Mordomia", "Domingos da Mordomia" e "Campanhas Anuais da Mordomia". Em muitas igrejas, "mordomia", em essência, tornou-se sinônimo de "escrever um cheque para a igreja uma vez por mês". Gostaríamos de elevar o termo novamente a seu significado original, com a definição a seguir:

Mordomia é a administração ativa e responsável da criação divina para os propósitos divinos.

A distinção fundamental nessa definição revisada é um ímpeto para a *ação*. Mordomia requer que nos engajemos ativamente no uso e na distribuição dos recursos de Deus a fim de cumprir seus objetivos. Isso inclui doar, mas também envolve muito mais: orar pedindo sabedoria para distribuir os recursos; prover liderança para organizações (dentro e fora da igreja) que usam ou compartilham esses recursos; usar ou distribuir diretamente tais recursos. O mordomo não é responsável somente por juntar e distribuir recursos. Ele também é responsável por como tais recursos são usados — e, aliás, pelos resultados obtidos por meio do uso dos recursos.

Observe que essa definição de mordomia se aplica a *todos* os nossos recursos, não só aos dízimos e às ofertas. Se a aceitarmos, todas as nossas compras devem ser feitas visando o avanço do reino de Deus. Os recursos que gastamos com família, lazer e entretenimento sempre precisam ser vistos como um meio de servir o reino de Deus: nosso lar permanece sempre aberto para convidados, a chave do carro é estendida de mão aberta, nossa geladeira está livre para ser atacada.

Ao mesmo tempo, é um erro concluir que simplesmente gastar menos é a diretriz primária da mordomia. Paulo diz que nossa "confiança deve estar em Deus, que provê ricamente tudo de que necessitamos para nossa satisfação" (1Tm 6.17). O salmista concorda: "Você desfrutará o fruto de seu trabalho; será feliz e próspero" (Sl 128.2). Embora os propósitos divinos sem dúvida incluam justiça aos desprivilegiados, eles também incluem nosso desfrute de suas bênçãos. Os dois propósitos são legítimos.

Precisamos ser mordomos ativos, reflexivos e estratégicos das posses divinas. Por vezes, isso quer dizer devolver ao Senhor em sacrifício. Em outras ocasiões, significa passar tempo de qualidade com a família na praia! A lição principal é ter uma imagem clara de *por que* você está usando os recursos de Deus da maneira que escolheu, a fim de ter a certeza de que pode "oferecer essa compra como um sacrifício ao Senhor".[2]

PRINCÍPIO 3: A RIQUEZA É COMO A DINAMITE, COM GRANDE POTENCIAL TANTO PARA O BEM QUANTO PARA O MAL.[3]

O dinheiro é uma das maiores forças do planeta. O escritor e poeta Carl Sandburg disse: "Dinheiro é poder, liberdade, uma

---

[2] Brandon Fremont, entrevista ao autor em 18 de fevereiro de 2015.
[3] Somos gratos a Will Messenger e ao projeto Theology of Work por articular pela primeira vez essa analogia entre o dinheiro e a dinamite.

62 DEUS E O DINHEIRO

almofada, a raiz de todo mal, a soma das bênçãos".[4] O dinheiro em si não é inerentemente bom ou mau, mas é poderoso. Além disso, os seres humanos são, de modo especial, suscetíveis à tentação de se apaixonar pelo dinheiro. Nosso caráter é extraordinariamente vulnerável à sua influência corrosiva. John Steinbeck escreveu: "Somos uma espécie estranha. Conseguimos suportar qualquer coisa que Deus e a natureza lancem em nossa direção, com exceção da fartura".[5] Provérbios 30 ecoa sentimentos semelhantes: "Não me dês nem pobreza nem riqueza; dá-me apenas o que for necessário. Pois, se eu ficar rico, pode ser que te negue e diga: 'Quem é o Senhor?'. E, se eu for pobre demais, pode ser que roube e, com isso, desonre o nome do meu Deus" (v. 8-9).

Paul Piff, psicólogo e professor da Universidade da Califórnia, *campus* de Irvine, estuda como o dinheiro influencia as relações entre os seres humanos e observou essa influência corrosiva em ação. Sua conclusão chocante é que o dinheiro nos torna vis. Piff descreve um de seus experimentos, envolvendo dois indivíduos que jogam uma partida manipulada de *Banco Imobiliário*:

> Nós [...] definimos de modo aleatório um de dois [jogadores] para ser o rico em uma partida manipulada [de *Banco Imobiliário*]. Ele recebia o dobro de dinheiro. Quando passava pelo início, recolhia o dobro do salário e jogava dois dados, em vez de um só. [...] Logo ficava claro para os jogadores que [...] um deles tinha mais dinheiro que o outro. À medida que a partida prosseguia, vimos muitas diferenças drásticas surgirem. [...] O jogador rico começava a fazer mais barulho ao se mexer pelo tabuleiro, literalmente batendo com o pino no tabuleiro. [...] víamos mais sinais de domínio, exibição de poder e celebração entre os jogadores ricos. Os ricos começavam

---

[4] Citado por Keith Jackson em "The Last Word on Money", <http://www.independent.co.uk/news/business/the-last-word-on-money-1574900.html>. Acesso em 27 de maio de 2019.

[5] Citado por Alcorn, *Money, Possessions, and Eternity*, p. 46.

a ser mais rudes com a outra pessoa, cada vez menos sensíveis, demonstrando mais e mais seu sucesso material.

Citações dos jogadores ricos [incluem]: "Tenho dinheiro para tudo... Logo você vai perder todo o seu dinheiro... Eu tenho tanto dinheiro que vou comprar este tabuleiro inteiro... Sou praticamente intocável nesse ponto...".

Quando os jogadores ricos conversaram [depois] sobre motivos de terem (inevitavelmente) ganhado o jogo manipulado, eles comentavam a respeito do que tinham feito para comprar as diferentes propriedades e merecer seu sucesso. [...] Trata-se de um sinal inacreditável de como a mente atribui sentido à desigualdade.[6]

Piff realizou experimentos semelhantes com pessoas ricas na vida real e descobriu resultados idênticos. Seus experimentos testaram a prontidão das pessoas de parar para os pedestres atravessarem na faixa, trapacear em um jogo de computador, compartilhar um valor em dinheiro com estranhos e até para pegar balas de um pote com um rótulo indicando claramente que eram destinadas às crianças. Em *cada experimento*, a renda alta esteve ligada ao comportamento "vil"! Piff analisa: "Temos descoberto [...] que, à medida que o nível de riqueza da pessoa aumenta, seu sentimento de compaixão e empatia diminui, e os sentimentos de direito de posse, merecimento e a ideologia de defesa dos interesses pessoais aumentam".[7]

E tudo indica que apenas o fato de nos sentirmos ricos — mesmo com dinheiro falso em um jogo manipulado! — pode nos transformar facilmente em seres humanos terríveis. Não é de espantar que Deus nos advirta com tanta ênfase quanto ao

---

[6] Paul Piff, "Does Money Make You Mean?", arquivo de vídeo extraído de: <http://www.ted.com/talks/paul_piff_does_money_make_you_mean/transcript?language=en>. Acesso em 27 de maio de 2019.
[7] Idem.

64 DEUS E O DINHEIRO

poder corrosivo da riqueza.[8] A pesquisa de Piff dá peso adicional às palavras de Jesus: "Onde seu tesouro estiver, ali também estará seu coração" (Lc 12.34). Sempre devemos permanecer vigilantes, a fim de subordinar o poder do dinheiro à glória de Deus, ao mesmo tempo que nos protegemos de influências potencialmente corruptoras e causadoras de divisão em nossa vida.

Princípio 4: A riqueza mundana é passageira. Os tesouros celestiais são eternos.

Randy Alcorn apresenta a ilustração a seguir no excelente livro *The Treasure Principle*:

> Imagine que você está vivo no fim da Guerra Civil dos Estados Unidos. Você mora no sul, mas é natural do norte. Planeja mudar-se para casa assim que o conflito terminar. Enquanto está no sul, você acumulou bastante dinheiro dos confederados. Suponha que você tem certeza de que o norte ganhará a guerra e de que o fim é iminente. O que você fará com o dinheiro confederado?
>
> Se você for esperto, só há uma resposta. Você precisa trocar imediatamente o dinheiro pela moeda dos Estados Unidos, a única que terá valor quando a guerra terminar. Só mantenha consigo o suficiente da moeda dos confederados para satisfazer as necessidades de curto prazo.[9]

A ideia de Alcorn é clara. Nós, cristãos, temos informação privilegiada do resultado final. Sabemos que o reino de Deus virá.[10] Logo, o acúmulo de muitos tesouros terrenos que não teremos a menor condição de usar é, na melhor das hipóteses, uma visão míope, se não um desperdício absoluto de tempo. Como

---

[8] 1Timóteo 6.10; Tiago 5.15.
[9] Alcorn, *The Treasure Principle*, p. 14.
[10] Com perspicácia, Alcorn chama essa informação de "a grande dica privilegiada para os negócios".

SETE PRINCÍPIOS BÍBLICOS FUNDAMENTAIS SOBRE RIQUEZA E DOAÇÃO   **65**

todos sabemos, "caixão não tem gaveta, nem vai um caminhão de mudança atrás do rabecão".[11]

Jesus chegou a chamar de "louco" o rico que armazenou sua riqueza aqui na terra (Lc 12.13-21). Em vez disso, devemos nos focar no acúmulo de tesouros no céu. Isso significa manter uma "perspectiva eterna" ao administrar nossa riqueza. O profeta Isaías nos exorta: "Por que gastar seu dinheiro com comida que não fortalece? Por que pagar por aquilo que não satisfaz?" (Is 55.2). Ao decidir como administrar nossas doações, despesas e economias (tudo isso é importante!), devemos nos perguntar que tipo de ação glorificará mais a Deus e mais beneficiará o seu reino na terra. Uma atitude adequada em relação à riqueza prioriza os tesouros no céu, em lugar dos tesouros na terra. Por sermos cristãos, reconhecemos que devemos usar temporariamente a moeda terrena. Nós só precisamos lembrar que é passageiro quando decidirmos como gastar o dinheiro!

Um grave perigo de nossa riqueza extraordinária hoje é que, com frequência, doamos um valor que "parece" generoso, mas, na verdade, nos custa muito pouco. Achamos que podemos comer, beber e nos divertir agora, e ao mesmo tempo também acumular tesouros suficientes no céu para viver bem quando chegarmos lá. Infelizmente, ter dois tesouros separados não é uma possibilidade. Logo depois de chamar de louco o homem que armazenava sua riqueza terrena, Jesus acrescentou: "Sim, é loucura acumular riquezas terrenas e não ser rico para com Deus" (Lc 12.21).[12]

Que será do valor de nossas casas, carros, guarda-roupas e poupanças de aposentadoria "confederados" quando encontrarmos Jesus? Deus pode produzir bênçãos a partir de qualquer valor

---

[11] Citação anônima que descobrimos durante nossa pesquisa.

[12] Para ser justo, em Provérbios fala-se muito sobre o planejamento para o futuro, mas há uma diferença entre planejar com sabedoria e acumular desnecessariamente.

que investirmos em seu reino. Mas ele também avalia o total que escolhemos investir em *nosso* reino pessoal. Deus deseja que desfrutemos suas bênçãos, mas que o façamos levando em conta seu reino eterno, não nosso reino temporário. Devemos nos manter atentos sobre onde escolhemos armazenar nosso tesouro.

PRINCÍPIO 5: DAR *AOS POBRES* COM GENEROSIDADE É UM *DEVER* MORAL EM UM MUNDO CAÍDO.

Vivemos em um mundo caído, e uma das consequências disso é a existência do sofrimento humano. O projeto Theology of Work relata que 1,4 bilhão de pessoas vivem em situação de extrema pobreza, ou seja, carecem dos recursos básicos de sustento. Outro 1,1 bilhão de pessoas vivem em condição de subsistência, "ganhando apenas o suficiente para comer".[13] Essas estatísticas revelam que mais de 1/3 dos seres humanos vivos hoje se encontra em condição de pobreza.

Em nenhuma parte da Bíblia Deus promete fartura material para toda a humanidade. Pelo contrário, as Escrituras deixam claro que esta vida será difícil para muitos seguidores de Deus.[14] Aos antigos israelitas foi dito: "Sempre haverá pobres na terra" (Dt 15.11). Contudo, Deus tem amor profundo por toda a sua criação.[15] E, com base nos ensinamentos de Jesus que analisamos no primeiro capítulo, Deus sente forte empatia pelos pobres. Portanto, nós, a igreja, temos a obrigação moral de apoiar o próximo, em especial os pobres. O papa Francisco expressou isso muito bem quando escreveu que a igreja deveria ter "uma opção preferencial pelos pobres".[16]

---

[13] Wayne Kirkland, "Provision and Wealth Overview", The Theology of Work Project, p. 3.

[14] Gênesis 3.17; Salmos 60.1-3.

[15] João 3.16; Romanos 5.8.

[16] Papa Francisco, *Evangelii Gaudium*, p. 158, <https://m.vatican.va/content/dam/francesco/pdf/apost_exhortations/documents/papa-francesco_esortazione-ap_20131124_evangelii-gaudium_po.pdf>. Como esclarecimento, concordamos

Arthur Simon, ex-presidente da organização Bread for the World, observa que "há uma relação entre barrigas vazias em um continente e vidas vazias em outro".[17] Deixar de ajudar os pobres é um sinal de que não conhecemos a Deus, isto é, não entendemos seu amor por suas criaturas, nem nosso papel de colocar em prática seus propósitos na terra. Agora que servimos como as mãos e os pés de Jesus, devemos assumir sua bandeira de cuidado pelos desvalidos (Rm 12.3-8). Santa Teresa de Ávila, freira e escritora do século 16, compôs o poema a seguir, intitulado "Cristo não tem corpo". Se os seguidores de Jesus não se importarem com aqueles a quem ele ama, quem o fará?

Cristo não tem corpo, senão o teu,
Não tem mãos nem pés na terra, senão os teus.
Teus são os olhos com os quais ele vê,
Compaixão deste mundo.
Teus são os pés com os quais ele anda para fazer o bem,
Tuas são as mãos com as quais ele abençoa o mundo inteiro.
Tuas são as mãos, teus são os pés,
Teus são os olhos, tu és o seu corpo.
Cristo não tem corpo hoje senão o teu,
Não tem mãos, nem pés na terra, senão os teus.
Teus são os olhos com os quais ele enxerga,
Compaixão deste mundo.
Cristo não tem corpo hoje na terra senão o teu.[18]

com a declaração do papa Francisco no sentido de Tiago 2.5 ("Ouçam, meus amados irmãos: não foi Deus que escolheu os pobres deste mundo para serem ricos na fé? Não são eles os herdeiros do reino prometido àqueles que o amam?"). No entanto, diferentemente de alguns no movimento da teologia da libertação, não cremos que a pobreza é valorizada por Deus de forma inerente, a despeito da disposição do indivíduo em relação ao Senhor.

[17] Simon, *How Much is Enough?*, 18.

[18] Teresa Avila, "Christ Has No Body", <http://www.journeywithjesus.net/PoemsAndPrayers/Teresa_Of_Avila_Christ_Has_No_Body.shtml>. Acesso em 29 de maio de 2019.

Nosso dever moral de ajudar os pobres é reforçado pelo fato de que hoje, talvez pela primeira vez na história, a humanidade tem acesso coletivo a recursos suficientes para fornecer o sustento básico para todas as pessoas. O romancista inglês John Berger afirma: "A pobreza do nosso século é diferente de qualquer outra. Não é, como antes, resultado da escassez natural, e sim de um conjunto de prioridades imposto sobre o restante do mundo pelos ricos. Em consequência, os pobres modernos não são alvos de compaixão [...] mas são descartados como se fossem lixo. A economia do século 20 produziu a primeira cultura na qual um mendigo não é um lembrete de nada".[19] Achamos que Berger vai longe demais ao culpar exclusivamente os ricos por toda a pobreza existente na terra hoje. A raiz do problema é multifacetada e inclui fatores que vão além da distribuição de renda (p. ex., políticas públicas, guerras, domínio da lei e, claro, decisões de responsabilidade individual). No entanto, Berger está correto ao destacar que nosso dever moral em relação à injustiça aumenta à medida que cresce nossa capacidade de remediar tal injustiça.

Nada disso quer dizer que ajudamos os pobres porque eles são necessariamente "merecedores" de nossa generosidade. Aliás, quem somos nós para decidir isso? Mas nós, cristãos, temos o dever moral de ajudar os pobres porque eles também são filhos de Deus e porque, ao apoiar nossos irmãos e irmãs, refletimos a natureza divina e lhe damos glória.[20]

Deixemos Santo Agostinho apresentar o argumento final: "Portanto, cada vez que tiveste a oportunidade de ajudar os outros e te recusaste, sempre assim lhes fizeste mal".[21]

---

[19] Citado em Stearns, *The Hole in Our Gospel*, p. 95.
[20] Além disso, conforme apresentaremos em capítulos posteriores, existem formas sábias e eficazes de aliviar a pobreza.
[21] Citado por Stearns, *The Hole in Our Gospel*, p. 268.

Princípio 6: A doação deve ser voluntária, generosa (até mesmo sacrificial), alegre e voltada para as necessidades.

No último capítulo, analisamos as características qualitativas de doar ensinadas no Novo Testamento:

- A doação deve ser voluntária, ou seja, não pode haver coerção por parte das autoridades da igreja local.[22]
- A doação deve ser feita alegremente, conforme reconhecemos as bênçãos espirituais que Deus derrama sobre quem doa, uma vez que ele "ama quem dá com alegria".[23]
- A doação deve ser empregada para atender a necessidades genuínas da comunidade, especificamente para o sustento dos pastores locais e o auxílio aos pobres.[24]
- Por fim, a doação deve ser generosa, feita até em atitude de sacrifício.[25]

A beleza dessa maneira de doar é que liberta o cristão para servir os outros com generosidade, agradecido a Deus por sua provisão. O desafio, porém, é como exatamente definir "generosidade".

As outras características da doação no contexto da nova aliança são mais diretas: sabemos se demos voluntariamente e com alegria (muito embora *tornar-se* um doador alegre quando não somos pode ser mais difícil!). Também sabemos se nossas contribuições estão atendendo a necessidades genuínas da comunidade, tais como sustentar pastores locais e ajudar os pobres (se não temos esse conhecimento, nós, como mordomos, devemos procurar descobrir!). Mas saber se estamos doando com generosidade ou não é mais ambíguo.

---

[22] 2Coríntios 8.3; 9.7.
[23] 2Coríntios 9.7; Malaquias 3.10; Provérbios 3.9-10; Lucas 6.38.
[24] 1Coríntios 9.3-14; 2Coríntios 8.4-5; Atos 20.35; Mateus 25.31-45.
[25] 2Coríntios 8.2-3; Filipenses 4.17-18; Marcos 12.42-44.

"Quanto eu devo doar para ser generoso?" Essa pergunta parece razoável na superfície, mas, na verdade, sugere uma visão de nosso relacionamento com Deus baseado nas obras. "Se eu der *o bastante*, estarei fazendo *o bastante* para agradar ao Senhor." Paulo corrige esse ponto de vista equivocado em Efésios 2.8-9: "Vocês são salvos pela graça, por meio da fé. Isso não vem de vocês; é uma dádiva de Deus. Não é uma recompensa pela prática de boas obras, para que ninguém venha a se orgulhar". Não é a quantia que doamos que nos faz obter favor aos olhos de Deus — todas as "nossas" posses já são dele, para começo de conversa!

Então o que significa dar com generosidade? Lembre-se de nossa definição de mordomia: a administração ativa e responsável da criação de Deus para os propósitos divinos. Quais são os propósitos divinos para nós? Sempre gostamos da definição do Catecismo Menor de Westminster para o principal propósito do ser humano: "glorificar a Deus e desfrutá-lo para sempre".

O texto de 1Crônicas 29.9-14 apresenta uma ilustração fantástica de doar de modo a glorificar a Deus. O rei Davi deu uma oferta gigantesca para apoiar a construção do templo do Senhor. A doação do rei inspirou o povo a também apresentar ofertas voluntárias: uma quantidade imensa de ouro, prata, bronze, ferro e pedras preciosas. O autor retrata a reação do rei Davi e do povo:

> O povo se alegrou com as ofertas, pois as entregou ao SENHOR voluntariamente [...] e o rei Davi também se encheu de alegria. Então Davi louvou o SENHOR na presença de toda a comunidade:
>
> "Ó SENHOR, Deus de nosso antepassado Israel, louvado sejas para sempre! Ó SENHOR, a ti pertencem a grandeza, o poder, a glória, a vitória e a majestade. Tudo que há nos céus e na terra é teu, ó SENHOR, e este é teu reino. Tu estás acima de tudo. [...]
>
> "Ó nosso Deus, damos graças e louvamos teu nome glorioso! Mas quem sou eu, e quem é meu povo, para que pudéssemos te dar alguma coisa? Tudo que temos vem de ti, e demos apenas o que primeiro de ti recebemos!"

SETE PRINCÍPIOS BÍBLICOS FUNDAMENTAIS SOBRE RIQUEZA E DOAÇÃO **71**

Vemos aqui que Deus é glorificado quando doamos em reconhecimento de sua soberania sobre nossa riqueza, com gratidão por sua provisão e com alegria pela oportunidade de participar de seu reino. Essas são as características fundamentais da generosidade.

Alguém pode destacar que o rei Davi e os israelitas também deram uma *quantia* muito grande nesse exemplo. Contudo, a generosidade não é mensurada pelo valor absoluto dado. Na história da viúva pobre, em Marcos 12, Jesus elogiou uma viúva por dar tudo o que possuía (duas pequenas moedas de cobre) para o templo (Mc 12.41-44). A generosidade é relativa: aos olhos de Cristo, as duas moedas da viúva pobre valiam "mais" que as "grandes quantias" doadas pelos ricos. A. W. Tozer escreve: "Perante o trono do juízo de Cristo, meu serviço será julgado não por quanto eu fiz, mas por quanto eu poderia ter feito".[26]

Dar com generosidade é doar de tal maneira que Deus seja glorificado. Deus é glorificado por nossas contribuições quando reconhecemos sua soberania, quando somos agradecidos por sua provisão e alegres pela oportunidade de servi-lo. Por fim, nossa doação deve ser proporcional a nossos meios. Cristo honrou publicamente a viúva de Marcos 12 que doou tudo. O que seria "proporcional" para nós nos dias de hoje?

PRINCÍPIO 7: A DOAÇÃO GENEROSA ROMPE COM O PODER DO DINHEIRO SOBRE NÓS.[27]

Shailer Matthews, teólogo norte-americano, brinca que "se é mais bem-aventurado dar do que receber, então a maioria de

---

[26] A. W. Tozer, *That Incredible Christian* (Carol Stream, IL: Tyndale, 1977), p. 105.

[27] Agradecemos a Ron Blue pela articulação deste conceito em uma conferência da organização Kingdom Advisors de que participamos durante a pesquisa.

72 DEUS E O DINHEIRO

nós se contenta em deixar que o outro tenha a maior bênção".[28] Por mais contentes que estejamos em permitir que outro tenha a maior bênção, a generosidade é indispensável para nossa saúde espiritual. Os benefícios da generosidade incluem: alegria, satisfação pessoal por servir, crescimento espiritual e bênçãos de Deus, tanto agora quanto na eternidade.[29] E talvez o mais importante: dar com generosidade acaba com o poder que o dinheiro pode tão facilmente exercer sobre nós. Acreditamos que a idolatria do dinheiro é uma tentação grave para muitos cristãos ocidentais hoje, e é nesse tema que concentramos nossa discussão.

As Escrituras nos advertem quanto ao perigo de adorar Mamom.[30] Paulo nos alerta: "Aqueles que desejam enriquecer caem em tentações e armadilhas e em muitos desejos tolos e nocivos, que os levam à ruína e destruição" (1Rm 6.9). O rei Salomão nos admoesta: "Quem ama o dinheiro nunca terá o suficiente. Quem ama a riqueza nunca se satisfará com o que ganha" (Ec 5.10). Jesus nos lembra: "Cuidado! Guardem-se de todo tipo de ganância. A vida de uma pessoa não é definida pela quantidade de seus bens" (Lc 12.15).

Sucumbimos com facilidade à noção de que apenas um pouco mais de dinheiro nos dará a vida com a qual sempre sonhamos. O mais irônico é que essa crença equivocada parece se intensificar à medida que acumulamos mais riqueza. Certa vez, um pastor nos contou a história de um amigo seu da época de

---

[28] Citado por Generous Church em: <http://www.generouschurch.com/quotes-on-generosity>. Acesso em 29 de maio de 2019.

[29] Larry Jones, "Five Benefits of Generosity", <http://www.richchristianpoorchristian.com/2011/10/5-benefits-of-generosity.html>. Acesso em 29 de maio de 2019.

[30] "Mamom" é um termo usado por Jesus em Mateus 6.24 e Lucas 16.13. Acredita-se que se baseia na palavra aramaica para riquezas ou dinheiro e era usada pelos cristãos primitivos para se referir ao consumo desenfreado, ao materialismo excessivo e à ganância. Nessas passagens, Jesus usou o termo como a personificação de um falso deus.

SETE PRINCÍPIOS BÍBLICOS FUNDAMENTAIS SOBRE RIQUEZA E DOAÇÃO   **73**

faculdade. Antes de se formarem, os dois conversavam sobre quanto dinheiro queriam ganhar durante a carreira a fim de ter uma aposentadoria confortável. Ambos concordaram com o total de 5 milhões de dólares.[31] O pastor acompanhou a trajetória profissional de seu amigo, que estava subindo rápido de posição em uma conhecida empresa que faz parte da lista Fortune 500, ou seja, está entre as quinhentas mais rentáveis do mundo. Dez anos depois da formatura, o pastor ligou para o amigo e disse:

— Tenho acompanhado sua carreira. Você se lembra de nossa conversa? A essa altura, você já deve ter chegado aos cinco milhões de dólares. Como você se sente agora que já tem condições financeiras para se aposentar?

O amigo respondeu:

— Veja bem, nós éramos muito ingênuos naquela época! O número não é cinco milhões, mas, sim, vinte! A vida é bem mais complicada do que a gente pensa.

O pastor continuou a acompanhar a carreira do amigo. Vinte anos depois da formatura, o amigo tornou-se CEO de uma das empresas que fazem parte da lista da Fortune 500. O pastor ligou de novo para fazer a mesma pergunta, e o agora CEO respondeu:

— Sabe, eu era muito ingênuo naquela época! Já passei daquele total, mas ainda não posso me aposentar. Não nos sentimos seguros.

Dessa vez, o CEO não conseguiu nem explicar para que fim o dinheiro extra seria usado. Na verdade, o dinheiro era uma droga usada para combater a insegurança daquele homem de negócios em relação a seu valor próprio e bem-estar. O mais irônico é que a causa da insuportável insegurança do CEO era a droga em si — sua busca por riquezas! Cipriano, bispo de Cartago no terceiro século, resume essa questão muito bem: "Suas posses os mantêm

---

[31] A conversa aconteceu antes que o pastor soubesse que seria chamado para o ministério pastoral.

em cadeias. [...] Acham que são proprietários, mas, na verdade, eles é que são possuídos: escravos da própria propriedade, não são senhores de seu dinheiro, mas sim seus escravos".[32]

Outra consequência da adoração ao dinheiro é que, com frequência, ele nos leva a enxergar o pior nos outros. Começamos a olhar com desprezo para os menos afortunados, muitas vezes culpando-os pela própria miséria. Os escritores Don McClanen e Dale Stitt argumentam: "[O dinheiro] se torna Mamom sempre que nossa paixão por coisas boas é mais forte que a compaixão pelos feridos em nosso mundo".[33] Richard Stearns, presidente da organização World Vision, expressa muito bem essa ideia quando parafraseia a passagem do juízo final em Mateus 25.31-45:

> Pois eu tive fome, enquanto você tinha tudo de que necessitava. Eu tive sede, enquanto você tomava água mineral. Fui estrangeiro, e você queria que eu fosse deportado. Eu precisava de roupas, mas você precisava de mais roupas. Estive enfermo, mas você apontou os comportamentos que me fizeram ficar doente. Fui preso, mas você disse que eu só estava recebendo o que merecia.[34]

Isso não quer dizer que tomar decisões com responsabilidade não influencia o bem-estar financeiro do indivíduo. É claro que faz diferença! Mesmo assim, o amor pelas riquezas pode promover uma atitude de arrogância que nos leva a perder a compaixão pelos pobres e a deixar de servir Jesus ao deixarmos de servir quem ele ama.

Uma última consequência negativa da adoração ao dinheiro é sua capacidade de distorcer como medimos o sucesso na vida. Começamos a usar o dinheiro como fita métrica do sucesso terreno e do valor pessoal. Eu (Greg) me lembro das infindáveis

---

[32] Citado por Alcorn, *Money, Possessions, and Eternity*, p. 416.

[33] McClanen e Stitt, *Ministry of Money*, p. 3.

[34] Stearns, *The Hole in Our Gospel*, p. 59.

conversas perto do bebedouro a respeito do bônus anual, tanto na McKinsey quanto na empresa de investimento privado na qual trabalhei. O valor do bônus nas duas firmas era estratosférico de acordo com qualquer medida objetiva, mas meus colegas e eu não estávamos interessados em conversar sobre como tínhamos sorte por receber um bônus tão grande. Em vez disso, queríamos ver como nosso bônus se comparava ao de nossos colegas. Em lugar de me maravilhar com o privilégio de receber um bônus de seis dígitos aos vinte e poucos anos, eu corria para perguntar a meu

> **De olho nos detalhes...**
> Ouça Richard Stearns falando mais a respeito de como estamos distantes de viver segundo os princípios bíblicos sobre finanças no vídeo de quinze minutos "Multiplex: Wealth, Poverty and Power—The Hole in our Gospel", em <GodandMoney.net/resources>.

chefe se meu bônus me colocava ou não no patamar dos melhores funcionários. O bônus nada mais era que um sinal de meu valor relativo, em comparação a meus colegas. Sem querer, aderi ao ensino do mundo de que o dinheiro nos torna valiosos. Dietrich Bonhoeffer combate esse ensinamento: "Em um mundo no qual o sucesso é a medida e a justificativa de todas as coisas [...] a figura do [Cristo] crucificado invalida todos os pensamentos que transformam o sucesso em seu padrão".[35] Em outras palavras, nosso valor se encontra em Cristo, não no dinheiro que temos.

O amor ao dinheiro faz com que nos tornemos inseguros, insatisfeitos e autocentrados. Ele nos engana e nos faz aderir a um sistema falso para mensurar nosso valor próprio. Em contrapartida, quando somos generosos com nossa riqueza, tal atitude elimina o poder que ela exerce sobre nós. Compartilhar generosamente nossa riqueza com os outros nos protege de cair em adoração a Mamom e nos capacita a experimentar a alegria

---

[35] Dietrich Bonhoeffer, *Ethics* (Nova York: Touchstone, 1995), p. 363.

incomparável de andar com Cristo e participar da redenção do reino de Deus.

"Tudo ao contrário": aplicação dos princípios bíblicos sobre riqueza e doação

A compilação de todos os ensinamentos divinos sobre riqueza e dinheiro em sete princípios nos capacitou a entender melhor sua mensagem geral. Começamos a chegar à conclusão de que a interpretação fiel das Escrituras não nos leva à pergunta "Quanto eu devo doar?", mas, sim, "Com quanto devo ficar?". Inverter o questionamento dessa maneira é algo muito contracultural, até mesmo dentro da igreja. Mas é exatamente essa mentalidade que devemos adotar a fim de honrar a Deus de forma genuína por meio de nossa generosidade.

Will Pope chegou a essa mesma conclusão bem antes de nós. Hoje, com pouco mais de cinquenta anos, Will é dono de uma empresa bem-sucedida de petróleo e gás natural em Oklahoma City. Ele exala uma atitude de bem com a vida que faz as pessoas gostarem dele logo de cara. Sempre que conversamos ao telefone, eu o imagino reclinado em uma larga poltrona de couro, colocando as botas de *cowboy* para o alto em uma grande escrivaninha de carvalho, olhando para uma enorme caveira de touro pendurada na parede. No entanto, a expressão amistosa de Will e seu afável senso de humor dão uma ideia equivocada de sua seriedade a respeito de uma fé profundamente enraizada em Cristo e de suas opiniões fortes sobre a natureza da generosidade.

A convicção de Will acerca do assunto surgiu com base na jornada incrível pela qual Deus o tem guiado bem como a seus negócios. Essa trajetória começou em 1998, quando Will já estava à frente de seus empreendimentos havia 22 anos. Ele se dedicava por completo à empresa e estava dando certo: a firma crescia e dava lucros consistentes. Ao fim de cada ano, Will estimava o balanço de seu patrimônio líquido com base na perspectiva do valor de mercado de sua empresa. A cada vez que fazia isso, o valor crescia mais e mais. Todo o sangue, suor e lágrimas que ele investia na empresa eram claramente recompensados.

Com o tempo, porém, o crescimento da empresa deixou de motivá-lo. O número maior que tabulava ao final do ano não o empolgava mais. Ele se sentia vazio. Por fim, Will chegou à conclusão de que esse vazio era impulsionado pela crença de que seu negócio não tinha impacto eterno, de que, da perspectiva do reino, ele estava desperdiçando seu tempo. "Eu queria fazer diferença", conta. Na tentativa ousada de armazenar mais tesouros no céu, Will tirou um ano sabático do trabalho e se mudou com a esposa e os dois filhos em idade escolar para Costa Rica, a fim de avaliar a ideia de se tornar um missionário.

Will nos conta sua experiência:

> Estávamos lá havia quatro semanas. Eu ainda estava em treinamento [de espanhol]. Depois da aula, fomos almoçar em um pequeno restaurante em San José. Sentei-me com uma colega de classe, que me perguntou de repente:
>
> — Por que você está aqui?
>
> Respondi em voz alta:
>
> — Acredito que devo ser missionário.
>
> Ela me olhou com ar engraçado. Acho que ela deve ter pensado que eu era louco.
>
> Assim que disse isso, ouvi uma voz falar com clareza em minha mente: "Você acha que aprendeu tudo isso sozinho?". Meu cérebro disparou. Soube de imediato o que a pergunta queria dizer. Eu não havia cursado administração — tudo que eu sabia vinha da experiência. Ou, pelo menos, era o que eu pensava. Comecei a chorar porque sabia qual era a resposta para a pergunta de Deus. Então, quando as lágrimas começaram a rolar, minha colega de classe teve certeza de que eu era maluco!

Naquele momento, reconheci que toda a experiência e todo o aprendizado eram fruto da providência divina em minha vida. Percebi naquele instante que meu campo missionário não estava em um país estrangeiro, mas sim em usar todas as habilidades que Deus me deu para voltar aos negócios. Uma paz extraordinária tomou conta de mim. Percebi que o Senhor havia me colocado no mundo dos negócios por um motivo. Ele havia me criado com um propósito claro de vida. Deus me deu grandes habilidades e recursos, que eu deveria usar para ele. Antes, eu achava que ser um empresário era algo profano, em certo sentido. Após esse acontecimento, senti um chamado claro em minha vida. Tudo mudou. Mudou de "este é meu negócio" para "este é o negócio de Deus". Sou livre para fazer uma diferença relevante para a eternidade.

Will deixou o curso e voltou para casa a fim de administrar seus negócios. Agora, porém, a empresa era de Deus. Ele já não trabalhava para si próprio. Mesmo sendo CEO, ele passou a ter um novo Presidente. Retomou a empolgação por fazer a empresa crescer, porque qualquer crescimento conquistado serviria para apoiar diretamente o reino de Deus. E os negócios começaram a crescer de forma constante. A empresa que começara em caráter familiar, de tamanho relativamente pequeno, logo se tornou uma iniciativa considerável, em rápido crescimento.

A visão de Will acerca da generosidade evoluía junto com o crescimento da empresa. Ele conta:

> Estou no jardim da infância, por assim dizer. Eu realmente não tenho facilidade natural para doar. Estou tentando melhorar nisso. É uma luta constante para mim. Não sou muito generoso, em especial com a preocupação [em prover] para minha família e a possibilidade de a empresa falir. Passamos bastante tempo separando dinheiro para fins diversos: economia para a faculdade dos filhos, fundo de aposentadoria, conta bancária "caso a empresa acabe falindo". Então vinte mil dólares extras caíram em nosso colo de repente. Nós nos sentimos

SETE PRINCÍPIOS BÍBLICOS FUNDAMENTAIS SOBRE RIQUEZA E DOAÇÃO **79**

chamados a doar, mas era um valor enorme. Rachel, minha esposa, queria doar tudo desde o início. Eu era o pão-duro, que continuava a tentar controlar o dinheiro. Pensei: "E se criarmos uma fundação, investirmos o dinheiro e doarmos o lucro?". Foi o que acabamos fazendo. Aquele foi o capital inicial. Mas não demorou muito e começamos a doar tudo, colocando mais dinheiro no fundo. Começamos a encarar com verdadeira seriedade nossas doações.

A estratégia de doação de Will se baseava em sua atitude nova em relação à própria riqueza. Ele explica: "Não acho mais que os negócios sejam meus. Meu foco mudou do meu patrimônio líquido para uma 'linha de chegada financeira' que consiste em um número real, quantificável". Ele convidou alguns amigos cristãos próximos para se tornarem seus conselheiros na parte financeira. Todos os anos, os conselheiros estabelecem o "salário anual" que ele receberá. Em vez de pegar todos os lucros para si, agora ele recebe uma compensação fixa, independentemente do desempenho positivo da empresa. Todo o lucro excedente é doado.[36]

Nos últimos anos, o salário de Will tem sido de duzentos mil dólares anuais. Ele confessa que esse número o constrange um pouco, mesmo sendo bem menor que os lucros obtidos pela empresa. Ao mesmo tempo, ter um salário fixo tem se mostrado algo muito bom para sua espiritualidade. Ele conta:

A primeira avaliação que ouvi de meus conselheiros é que eu era pão-duro demais com minha família. Por exemplo, eu me lembro de orientar minha esposa a só comprar alimentos das marcas mais baratas. Eram dez latas de suco de laranja congelado por um dólar! Eu não era bondoso com minha esposa ao ser tão rígido com o orçamento familiar. Ela ainda sofre com isso [por eu tê-la tratado dessa maneira] até hoje. Descobri que generosidade significa ser

---

[36] Estamos nos referindo aqui ao fluxo de caixa depois de descontar o capital investido de volta na empresa.

benevolente também com a própria família. É claro que tem de haver equilíbrio — é possível ser "generoso demais" com a família. O segredo é ter bons orientadores financeiros que nos amem.

A fim de servir a Deus de várias maneiras, Will destina o lucro excedente de sua empresa para diversas formas criativas de generosidade que vão além da doação tradicional. Por exemplo, ele paga um salário bem superior a seus funcionários e contrata estagiários todo verão a fim de lhes proporcionar uma experiência valiosa. Will também coloca envelopes anônimos em carros parados em estacionamentos públicos por toda a cidade. O envelope contém vinte dólares e um cartão com os dizeres: "O amor é a única coisa necessária. Tenha uma vida de amor. Você acabou de receber um ato intencional de graça, amor e bondade. O que acha de passá-lo adiante?". Sua meta é deixar um envelope desse tipo por dia em um carro.

Analisando junto com seus conselheiros, Will definiu uma "linha de chegada" com respeito à sua poupança para a aposentadoria. Assim que suas economias alcançaram o valor da linha de chegada, ele parou de poupar. Ele acredita que não precisa de nada mais e que não há motivo para poupar dinheiro adicional. Então, saca os juros do investimento em seu fundo da "linha de chegada" e deposita na fundação que ele e a esposa criaram, a fim de doar o dinheiro.

Will reconhece que o processo de identificar uma linha de chegada é um pouco confuso. Ele escolheu sua linha de chegada com base em sua idade, na idade da esposa, nas necessidades dos netos, nas futuras obrigações financeiras esperadas etc. Aliás, os conselheiros de Will acharam que a linha de chegada inicial proposta por ele era conservadora demais e recomendaram que a aumentasse em 20%. Will explica: "Fico muito preocupado em não ser um bom mordomo! Mas, no fim das contas, não existe um único método correto. É preciso receber bons conselhos. As variáveis são muitas. Em diferentes momentos da vida, as coisas mudam. É necessário reavaliar o plano com frequência. Prepare-se para ser flexível. Você pode encontrar a resposta certa para sua família. Se o seu coração estiver no lugar certo, não tomará uma má decisão".

A propósito, o valor da empresa de Will não está incluído em sua linha de chegada. Ele está pensando em vender seu negócio em breve, mas, se o fizer, o lucro será dado para Deus. Ele diz: "Nunca mais fiz uma projeção do patrimônio líquido desde que concluí a linha de chegada. A empresa já não me pertence".

Todos os sete princípios bíblicos fundamentais sobre riqueza e doação apresentados neste capítulo são evidenciados na história de Will. Sua experiência é inspiradora porque ele transformou a própria história na história de Deus. Ao "virar a chave" de sua compreensão acerca das provisões divinas, Will reconheceu que tudo o que tem — até mesmo a empresa em si — pertence, por direito, a Deus. Ele viveu essa percepção em todas as áreas da vida, desde o salário até as economias, as doações financeiras e sua maneira de administrar os negócios.

Will percebeu que perguntar "Quanto eu devo doar?" não só subestima Deus, como também subestima a *si mesmo*, ao diminuir suas possiblidades de desfrutar as bênçãos que Deus derrama sobre quem é generoso (Lc 6.38). Ele pôs em prática a própria versão de "Com quanto devo ficar?" e, desde então, não olhou para trás. Will finalmente se sente livre para cumprir seu papel no reino de Deus. Seus negócios já não lhe pertencem, mas ele se sente muito bem com isso. Afinal, conclui: "Eu não sou o centro das coisas. Deus é".

3

MOTIVAÇÕES PARA DOAR

Nossa adoração a Deus é mais profunda
exatamente por causa de nossos estudos filosóficos,
não a despeito deles.
J. P. MORELAND E WILLIAM LANE CRAIG

Os primeiros quatro princípios bíblicos fundamentais sobre riqueza e doação são verdades normativas e espirituais da fé cristã. Ou você as aceita com base na autoridade da Bíblia, ou não. Seria inútil, por exemplo, debater a evidência de que as riquezas celestiais são eternas ou não. Se você acredita em Jesus como Salvador, aceita esse ensino bíblico; se não acredita, não aceita. Os três últimos princípios, entretanto, fazem declarações e sugerem comportamentos que podem ser testados e empiricamente comprovados. Pensamos que seria válido confirmar se eles se sustentam quando analisados da perspectiva sociológica, filosófica ou médica. Sempre que possível, uma declaração de verdade deve ser exposta a evidências a fim de verificar se ela consegue resistir ao teste do escrutínio. Tivemos o desejo de fazer isso em relação aos princípios que descobrimos nas Escrituras. Caso sejam verdadeiros, não há razão para nos esquivarmos do escrutínio, e caso sejam falsos, bem, então talvez precisemos reavaliar nossas interpretações.

A aplicação do rigor científico a declarações religiosas deixa muitas pessoas desconfortáveis. Contudo, o cristianismo é único, uma vez que seus preceitos fundamentais tocam realidades históricas que podem, de fato, ser investigadas. Aliás, Paulo escreveu que "se Cristo não ressuscitou, nossa pregação é inútil"

(1Co 15.14). Felizmente, existem evidências convincentes da ressurreição literal e histórica de Jesus,[1] mas não temos o propósito de debater esse fato aqui. Nosso foco é o dinheiro. Um comentário à parte: cremos que é neste ponto que o evangelho da prosperidade falha. Se dar dinheiro faz Deus enviar uma chuva de bênçãos materiais sobre a pessoa, então por que muitos doadores fiéis de baixa renda continuam a ganhar pouco, ano após ano? Alguns podem dizer que eles não têm fé grande o suficiente. Nós, porém, dizemos que esperar riquezas como recompensa pela generosidade é simplesmente errado, com base tanto nas Escrituras quanto na realidade que podemos observar no mundo hoje. De acordo com os sete princípios fundamentais, uma família generosa de baixa renda é obediente às Escrituras, cumpre sua obrigação moral com este mundo partido e sofredor e receberá bênçãos espirituais por sua generosidade. Todavia, esperar um derramamento de presentes materiais ou financeiros não seria realista.

A primeira parte deste capítulo se concentrará no teste do Princípio 5, a obrigação moral de dar aos pobres. Ao analisar outras tradições de fé e os escritos de alguns filósofos proeminentes, podemos contextualizar nosso paradigma cristão e afiar nosso vocabulário para embasar a posição que defendemos. Fazer isso aumenta nossa capacidade de conversar com não cristãos. Afinal, quem discorda da generosidade?

Em seguida, analisaremos o Princípio 6, que fala de como devemos dar (de maneira voluntária, com alegria, generosidade e voltada para as necessidades), e o Princípio 7, que afirma que, fazendo isso, somos libertos do poder do dinheiro sobre nós, o que aumenta nosso bem-estar. Embora seja difícil levantar evidências para os aspectos espirituais da doação, existem pesquisas

---

[1] Uma excelente cartilha sobre esse tema e muitos outros da apologética pode ser encontrada na obra de William Lane Craig, *Reasonable Faith: Christian Truth and Apologetics* (Wheaton, IL: 2008). O capítulo 8 fala da ressurreição.

DEUS E O DINHEIRO

bem documentadas acerca da saúde física e mental de doadores generosos, e serão essas as evidências a que recorreremos.

Após examinar esses três princípios da doação, seguiremos em frente para analisar tendências atuais da generosidade. Suspeitamos que o Espírito Santo está planejando algo muito interessante para o momento histórico em que vivemos, despertando uma ampla gama de pessoas, jovens e idosas, para a alegria inesperada da doação. Esperamos ser usados pelo Senhor para espalhar ainda mais essa mensagem, liberando novos níveis de generosidade para a glória do nome de Cristo.

A DEFESA MORAL DA GENEROSIDADE: TESTE DO PRINCÍPIO 5

Com frequência, nós, cristãos, vivemos dentro de uma bolha filosófica em que tradições externas permanecem sem exame. Isso é um pouco trágico por dois motivos. Primeiro, quando não sabemos o que os não cristãos pensam e no que acreditam, nossa habilidade de nos engajarmos com a cultura do ponto de vista apologético fica seriamente comprometida. Em segundo lugar, conforme C. S. Lewis destaca em *Cristianismo puro e simples*, os cristãos têm liberdade para aderir a verdades de todas as tradições humanas e afirmá-las. Quando não cristãos encontram verdades, os cristãos devem celebrar, uma vez que a realidade final da lei de Deus, que foi escrita em cada coração humano, está simplesmente encontrando sua expressão. (Tome como exemplo o conceito de líder servo. Embora seja uma noção distintamente cristã, nós nos alegramos quando a vemos aplicada na sociedade como um todo.) Logo, é válido perguntar o que outros sistemas de crença e estruturas filosóficas têm a dizer acerca da generosidade.

Religiões

É raro um tema sobre o qual todas as religiões orientais, as religiões abraâmicas e o ateísmo concordem efusivamente. Contudo, você pode escolher qualquer visão de mundo e nós apostamos que ela incentiva o compartilhamento de sua fartura com os outros. Embora não seja possível retratar com precisão um sistema de crenças em uma única citação, selecionamos entre os principais sistemas de crença não cristãos algumas declarações relevantes sobre doação.

- *Ateísmo:* "Tentemos ensinar a generosidade e o altruísmo, porque nascemos egoístas" (Richard Dawkins).
- *Budismo:* "Ensinem esta tríplice verdade a todos: um coração generoso, uma fala cheia de bondade e uma vida de serviço e compaixão são as coisas que renovam a humanidade" (Sidarta Gautama, o Buda).
- *Confucionismo:* "Quem sente o desejo de garantir o bem dos outros já garantiu o próprio bem" (Confúcio).
- *Hinduísmo:* "Quem dá, tudo tem; quem retém, nada possui" (provérbio hindu).
- *Islamismo:* "Você só será verdadeiramente justo quando der em esmolas aquilo que aprecia muito" (Alcorão Al-i-Imran).
- *Judaísmo:* "Quem ama o dinheiro nunca terá o suficiente. Quem ama a riqueza nunca se satisfará com o que ganha. Não faz sentido viver desse modo!" (Salomão, livro de Eclesiastes).

Percebemos então que praticamente a humanidade inteira valoriza a generosidade. Existe algo fundamental e inevitavelmente humano acerca da necessidade de compartilhar nossos recursos para o bem dos outros! Se Deus leva essa questão muito a sério, faz sentido que atraia concordância unânime de toda a humanidade.

Filosofia secular moral

Passemos agora para uma análise mais detida da filosofia moral da doação, com base na perspectiva secular, a fim de reunir

86 DEUS E O DINHEIRO

e apreciar aspectos da verdade onde pudermos encontrá-los e, assim, aperfeiçoar nossa habilidade de nos envolvermos com a cultura secular sobre o assunto.

Embora as principais religiões mundiais influenciem as massas, a maior parte da elite intelectual do mundo moderno é mais influenciada por filósofos seculares. Dedicaremos algumas páginas a alguns gigantes da filosofia, cujos dogmas fundamentam boa parte do que é ensinado nas universidades hoje acerca de ética e moralidade. Se os cristãos sentem o desejo de influenciar a cultura no nível macro, devemos entender como os principais pensadores de nossa cultura encaram o tema da generosidade. (Em determinada ocasião, nós nos pegamos discutindo o tema da generosidade radical com um ateu na biblioteca de Harvard e descobrimos que saber transitar entre a filosofia utilitária e as Escrituras cristãs pode ser muito útil!)

Peter Singer: o filósofo moderno da ética

Apresentamos primeiro Peter Singer, filósofo ateu da Universidade de Princeton e um dos mais proeminentes na área da ética nos dias atuais, que defende o utilitarismo de preferências. Essa estrutura ética alega que não existem princípios morais universais e que a moralidade se baseia na maximização das preferências subjetivas de todos os seres sensíveis. Com base nesse sistema, ele defende muitas posições que os cristãos podem achar condenáveis. De fato, há muito para um cristão e um ateu discordarem, mas compartilhamos com o filósofo a questão da generosidade financeira.

Sobre o tema específico da doação, Singer escreveu um artigo em 1971 intitulado "Fome, riqueza e moralidade",[2] o qual ficou bem famoso e foi expandido posteriormente a fim de se

---

[2] Peter Singer, "Famine, Affluence, and Morality", <http://www.utilitarian.net/singer/by/1972----.htm>. Acesso em 27 de maio de 2019.

transformar no livro *The Life You Can Save*.[3] Para início de conversa, Singer questiona a noção de "caridade", como se as doações dos ricos do mundo para os pobres fossem dignas de algum louvor. Ele afirma que doar não é um ato positivo de bondade, mas sim o cumprimento de uma necessidade humana básica. Ele defende, em essência, que doar é como tomar banho. Ninguém ganha uma medalha de ouro por fazer isso, mas consideramos uma falha pessoal do indivíduo quando ele deixa de fazê-lo! De acordo com essa perspectiva, a inação, ou a falta de doação, torna-se uma falha moral.

Singer apresenta uma analogia famosa para demonstrar seu ponto de vista: ao passar por uma criança que está se afogando em um lago raso, existe uma obrigação ética de que você intervenha. Quando a necessidade é grande (uma criança está se afogando) e o custo de aliviar a necessidade é mínimo (suas roupas ficam enlameadas), é moralmente obrigatório agir. As únicas diferenças entre essa analogia e as contribuições de caridade da era atual são que:

1. Os necessitados estão distantes.
2. Há milhões deles.
3. Muitas outras pessoas também têm a capacidade de salvá-los.

Singer argumenta que a distância entre você e o necessitado é irrelevante. A discriminação com base na distância, quando ajudar é tão fácil quanto fazer uma doação *on-line*, não faz nenhum sentido moral.

O número de necessitados também é uma desculpa esfarrapada para a falta de ação. Se houver cem crianças se afogando

---

[3] Singer, *The Life You Can Save: How to Do Your Part to End World Poverty* (Nova York: Random House, 2010). Ver também <http://www.thelifeyoucan save.org/>. Acesso em 27 de maio de 2019.

no lago, isso não é desculpa para o indivíduo continuar andando sem fazer nada alegando que é impossível salvar todas elas. É seu dever resgatar o máximo que puder.

Por fim, o fato de que outras pessoas poderiam estar ajudando talvez faça com que nos sintamos menos culpados por permanecer sem fazer nada, mas isso não diminui nosso dever moral. Se muitos observadores ficarem em volta do lago sem fazer nada, é certo simplesmente unir-se a eles e assistir às crianças se afogarem?

Singer reconhece que, levados à conclusão lógica, seus argumentos sugerem um envolvimento com doações de caridade cuja magnitude é bem maior que o habitual no mundo ocidental moderno. Ele cita Tomás de Aquino para embasar suas ideias (um ateu citando um católico — não é maravilhoso que todos nós concordemos em relação a esse tema?), enfatizando que pensadores ao longo da história apoiaram a noção de que a riqueza excessiva dos ricos, quando acumulada para benefícios pessoais, é, na verdade, roubada dos pobres. Esse conceito contrasta com nossa ênfase moderna no aumento do consumo pessoal. É interessante notar como as opiniões de Singer, um filósofo ateu, harmonizam com os pontos de vista sobre riqueza encontrados na Bíblia. Podemos até discordar em temas como aborto e ética sexual, mas encontramos pontos em comum no que se refere a riqueza e doação. Vidas concentradas no luxo para si são condenadas, e devemos lamentar o fato de que os pobres continuam a viver em desespero, sem encontrar alívio.

> ### De olho nos detalhes...
> Peter Singer fez uma *TED talk* sobre altruísmo eficaz assistida por mais de 1 milhão de pessoas. Nós, cristãos, podemos até discordar veementemente dele em alguns pontos, mas não há como discordar de seu envolvimento com a generosidade para com os pequeninos. Assista à palestra de dezessete minutos, "The Why and How of Effective Altruism", em <GodandMoney.net/resources>.

O próprio Singer explica o problema com a visão de nossa sociedade quanto à doação: "O caridoso pode até ser elogiado, mas quem não é caridoso também não é condenado. As pessoas não se sentem nem um pouco envergonhadas ou culpadas por gastar dinheiro com roupas novas ou um carro novo, em lugar de doar para combater a fome. (Aliás, essa opção nem lhes passa pela cabeça.) Essa maneira de ver o problema não pode ser justificada". Isso parece incrivelmente semelhante a Jesus, que falou à igreja rica de Laodiceia por meio do apóstolo João em Apocalipse 3.17: "Você diz: 'Sou rico e próspero, não preciso de coisa alguma'. E não percebe que é infeliz, miserável, pobre, cego e está nu". Existem diferenças essenciais entre a doação cristã e a utilitária,[4] mas as duas perspectivas compartilham a condenação dos ricos que se fecham para o clamor dos pobres.

Singer doa de 20 a 25% de sua renda, mas sugere que seria moralmente correto dar até mais. Ele afirma que se todos os ricos do mundo doassem apenas 1% de sua renda para combater a extrema pobreza, isso totalizaria mais que o dobro do que os governos atuais contribuem atualmente e poderia erradicar esse problema do planeta.[5]

Antes de prosseguir, queremos destacar como isso nos incomodou. Com um salário anual de seis dígitos antes de entrar na

---

[4] De maneira específica, a doação cristã é uma resposta à graça que Deus nos dá gratuitamente e, por causa disso, é cheia de alegria e propósito. A doação utilitária, embora talvez leve a um "caminho superior para o doador", não pode se basear no desejo de alegria eterna, uma vez que os ateus negam a existência de vida após a morte. Além disso, o ensino cristão sobre o dinheiro permite que o mordomo da riqueza desfrute os resultados de seus esforços, ao passo que a doação utilitária ordena doar até o ponto da utilidade marginal, ou seja, até o ponto da pobreza, em essência, para ser perfeitamente ético. Por fim, a doação no utilitarismo ateu se concentra em aliviar a pobreza material. A doação cristã concorda com isso, mas também inclui o alívio da pobreza espiritual por meio da pregação do evangelho.
[5] Singer, "Extending Generosity to the Wider World", <http://www.utilitarianism.net/singer/by/20020630.htm>. Acesso em outubro de 2014.

90 DEUS E O DINHEIRO

pós-graduação em administração, nós dois havíamos optado por doar de 10% a 15%. Somos cristãos e recebemos do Deus a quem adoramos o chamado para amar o mundo. Enquanto isso, um professor ateu de Princeton estava doando mais de 20%? Motivado por nada além da preocupação utilitária com os outros seres humanos? Sem crer na vida após a morte ou em um Deus que o ordenasse a fazer isso? Ai!

Immanuel Kant: o filósofo iluminista da ética

Antes de concluir nossa incursão pela filosofia (terminaremos em breve, prometemos), queremos falar sobre Immanuel Kant, um gigante do iluminismo. Os pontos de vista pessoais de Kant acerca da generosidade refletem certo grau de nuance. Ele se opunha, de modo geral, à doação de esmolas ou ao repasse de recursos para mendigos, porque toda essa situação lhe parecia muito confusa. O pedinte perde a dignidade e a iniciativa de agir ao mendigar, sendo humilhado nesse processo. Além disso, quem dá ao mendigo costuma fazer isso porque se sente embaraçado e constrangido. Falta, em tudo isso, a motivação pura e adequada para agir de forma ética, algo muito importante para Kant.

No entanto, muitos atos de generosidade são de fato éticos, de acordo com a visão de mundo kantiana. Sua opinião geral acerca da transferência da riqueza dos ricos para os pobres é semelhante à de Aquino e Singer: os ricos estariam meramente devolvendo uma parte do que já pertencia aos pobres em primeiro lugar. A lógica dele é a seguinte:

1. Os ricos só são ricos porque têm direitos de propriedade.
2. Os diretos de propriedade costumam ser garantidos por um estado, cuja função é estabelecer a ordem e a justiça na sociedade.
3. A administração adequada pelo estado inclui a obrigação de garantir que ninguém viva em extrema pobreza.

4. Logo, a extrema pobreza é uma falha do estado.

5. Assim, os ricos obtêm sua riqueza sob a proteção de um estado parcialmente falido, que os ajuda a enriquecer ao mesmo tempo que falha em evitar a pobreza extrema.

6. Portanto, uma parte da riqueza dos abastados deveria ter ido, em primeira mão, para os pobres, caso o estado tivesse estabelecido a ordem e a justiça de maneira adequada.[6]

Assim, as riquezas são, até certo ponto, resultado da injustiça aos pobres, de uma apropriação indevida da propriedade por um governo que funciona de maneira imperfeita. A essa altura da nossa jornada, toda a história de "vamos estudar filosofia" começou a nos incomodar de verdade. Esses filósofos não cristãos tinham alguns argumentos bons e estavam nos dando uma surra. Kant estava mesmo dizendo que o dinheiro que doamos para a igreja e para a pobreza global na verdade já pertencia em princípio aos pobres, em sentido indireto? Nós nos sentíamos muito bem por dar o dízimo, mas estava começando a parecer que éramos moralmente obrigados a doar aquele dinheiro logo de início. Talvez a filosofia secular fosse mais rígida que os sermões sobre mordomia pregados no culto de domingo... Se achávamos que nossos pastores pegavam pesado quanto ao dinheiro, deveríamos ter consultado os livros de filosofia da biblioteca local!

Na estrutura filosófica kantiana, a doação aos pobres é a coisa certa a fazer, mas não necessariamente algo louvável. Tínhamos a esperança de que esse ponto de vista tivesse morrido junto com Kant, pois seria muito conveniente, considerando nossos planos para o gasto dos salários futuros. Infelizmente, para nós, esse ponto de vista foi adotado e defendido por ninguém menos

---

[6] Lucy Allais, "Kant on Giving to Beggars", University of the Witwatersrand, <http://wiser.wits.ac.za/system/files/seminar/Allais2012.pdf>. Acesso em 29 de maio de 2019.

que o magnata do aço Andrew Carnegie, que acumulou uma das maiores fortunas da história e então a doou. No livro *O evangelho da riqueza*, ele escreveu: "O milionário nada mais é que um depositário para os pobres, a quem foi confiado, por um tempo, grande parte da riqueza acumulada da comunidade".[7] Ele acreditava que, depois de atender às próprias necessidades materiais, o rico tem a obrigação moral de devolver sua fortuna para a sociedade da maneira mais eficiente possível.

Conclusões da filosofia

Na ética da generosidade, portanto, há uma tensão entre estruturas conflitantes. O utilitarismo de Peter Singer defende a otimização das contribuições de maneira algorítmica, mas, em alguns casos, como na análise que Kant faz dos mendigos, isso parece atrapalhar a iniciativa individual e ignorar as complexidades morais. O mais interessante é que essa mesma tensão se faz presente nas Escrituras. Os ensinamentos cristãos sugerem que a riqueza é uma tentação poderosa à idolatria, que Deus é, em última instância, o dono de toda riqueza e que a riqueza muitas vezes brota da injustiça. No entanto, a riqueza também é louvada como uma recompensa pelo trabalho.[8] As Escrituras não condenam o rico por ser rico. A condenação é reservada para aqueles que fecham os olhos para os fardos dos desafortunados e para aqueles que se tornam orgulhosos. Existe uma tensão dinâmica entre o chamado constantemente repetido para ajudar os pobres e a compreensão de que a riqueza existe para atender às necessidades humanas e para ser desfrutada pelos que trabalharam duro a fim de obtê-la.

[7] Andrew Carnegie, "The Gospel of Wealth", junho de 1889, *North American Review*, <http://www.swarthmore.edu/SocSci/rbannis1/AIH19th/Carnegie.html>. Acesso em 27 de maio de 2019.

[8] Tais ideias foram resumidas com base em uma palestra feita por Harvey Cox na Harvard Divinity School, em setembro de 2014.

Conforme estudamos e pesquisamos, começamos a sentir que talvez essa tensão contenha sabedoria profunda, em uma convergência ética dinâmica entre as tradições da fé cristã e da filosofia moral ocidental secular. Cada uma dessas tradições pode discordar ferrenhamente quanto aos parâmetros de decisões que se deve usar ao avaliar um plano de doação, o montante final que se deve doar e as motivações particulares para animar o doador. Contudo, elas convergem na moderação aristotélica da questão da riqueza. Não devemos permitir que a culpa nos impulsione a abrir mão de todos os bens materiais, nem deixar a ganância nos inspirar a consumir tudo o que ganharmos. Entretanto, ao sondarmos nosso coração e as tendências da sociedade norte-americana, percebemos que nossas doações estavam muito aquém do que recomendaria uma interpretação justa de praticamente qualquer tradição. Concluímos que nós, cristãos, podemos encorajar todos os ocidentais abastados, não só os cristãos, a doar mais do que o fazem agora, com base em crenças filosóficas amplamente aceitas. Não importa se alguém se identifica com o ateísmo utilitário, o iluminismo, o cristianismo ou alguma outra coisa — é possível encontrar uma razão convincente para doar com generosidade.

Olhando para os nossos salários repletos de benefícios, percebemos que, se mandássemos construir uma piscina menor, se reduzíssemos 30m^2 da planta do nosso projeto residencial, se passássemos um dia a menos em nossas agradáveis viagens de férias ou se tivéssemos um carro mais simples, poderíamos salvar vidas e espalhar o evangelho. Não há muita tensão moral nesse tipo de decisão, mas escolhemos simplesmente ignorar a questão. Optamos por consumir e criar uma cultura de consumismo, vez após vez após vez, até nos encontrarmos presos numa esteira de gastos e acúmulo de riquezas. Nós dois percebemos que nossa vida estava voltada para essa direção. Os estudos de casos, que nos falaram poderosamente ao coração, fazem um contraste

94 DEUS E O DINHEIRO

marcante com a cultura predominante de excesso de condescendências e exageros, dando, quem sabe, uma mensagem tão necessária para nossa sociedade: precisamos ir além de nós mesmos e fazer algo de relevância eterna com nossa vasta riqueza ocidental.

Agradecemos porque você, leitor, permitiu que o conduzíssemos em nossa jornada de exploração filosófica. Esperamos que tenha sido útil para você — foi convincente para nós. Também esperamos que isso o ajude a reforçar sua confiança no Princípio 5, extraído das Escrituras e, conforme vimos, apoiado por séculos de filosofia humana de muitos ângulos. A generosidade é, de fato, nossa obrigação moral para com um mundo sofredor, e mesmo os que não professam a fé em Deus sentem o ímpeto de sua consciência nessa área da existência humana. Ao tratar com cristãos, podemos falar a linguagem da Bíblia. Ao conversar com a sociedade secular, porém, temos a possibilidade de usar outras ferramentas de argumentação que contêm núcleos das mesmas verdades.

A DEFESA MÉDICA DA GENEROSIDADE: TESTE DOS PRINCÍPIOS 6 E 7

> *Ah, meus caros cristãos! Se vocês fossem como Cristo, doariam muito, doariam com frequência, doariam voluntariamente ao vil e ao pobre, ao ingrato e ao indigno! Cristo é feliz e glorioso, e assim também vocês serão. Não é o seu dinheiro que desejo, mas sim a sua felicidade. Lembrem-se das palavras do próprio Jesus: "Há bênção maior em dar que em receber".*
>
> Sermão de R. M. McCheyne, 1838

Há dois motivos que levam as pessoas a fazer coisas de que não gostam. Em primeiro lugar, algumas tarefas desagradáveis são do nosso próprio interesse. A maioria de nós não sente uma liberação de dopamina ao escovar os dentes todas as manhãs, mas fazemos isso mesmo assim. Por quê? Bem, gostamos dos nossos

MOTIVAÇÕES PARA DOAR   **95**

dentes, e o planejador de longo prazo dentro de cada um de nós sabe que, se deixarmos de praticar essa disciplina diária, não os teremos daqui a vinte anos.

O segundo motivo para fazer algo de que você não gosta é que a tarefa ajuda na convivência em sociedade. É por isso que recolhemos nosso lixo quando vamos a um parque público. Mais uma vez, a maioria de nós não sente grande empolgação quando se abaixa para pegar aqueles pedaços de plástico que caem da mesa de piquenique, mas ainda assim todos nós agimos desse modo. Por quê? Bem, todos temos a compreensão em algum nível básico de que a sociedade necessita de nós. Todos sabemos que, se ninguém recolhesse o próprio lixo, o parque ficaria impróprio para ser frequentado. Então cada um de nós faz sua parte.

Para a maioria das pessoas, a doação recai na segunda categoria de atividades, ou seja, é algo que se faz por obrigação, a fim de ajudar a sociedade a se sair bem. É possível até ter essa impressão depois de ler a seção de filosofia. Se o nosso dinheiro pertence em parte aos pobres de qualquer maneira, e se temos o dever de doar, então quem sabe precisamos engolir essa e fazer nossa parte. Infelizmente, não há alegria nesse tipo de mentalidade e, por isso, ela é ineficaz para mudar o comportamento. Seis entre cada sete famílias norte-americanas doam menos de 2% da própria renda.[9] Para essas famílias, doar é como rezar uma espécie de ave-maria cármica de vez em quando — comprar um bolo da arrecadação de fundos "para as crianças" ou dar um cheque de cinquenta dólares por pressão de grupo, a fim de custear o projeto voluntário de verão de um estudante universitário, e assim por diante. Quem sabe uma dessas famílias se sinta especialmente culpada em um domingo e deposita vinte dólares na salva de ofertas. Mas provavelmente doar não é uma parte estruturada de sua vida.

---

[9] Smith e Emerson, *Passing the Plate.*

E se, no entanto, começarem a surgir evidências de que doar se encaixa na primeira categoria? E se a avareza matasse tão rápida e silenciosamente quanto fumar um maço de cigarros por dia? E se a generosidade fosse tão saudável e lhe desse uma grande onda de energia como sair para fazer uma corrida diária? Como você já deve ter imaginado, é exatamente para essa direção que estamos indo nesta seção, e as evidências são ao mesmo tempo poderosas e convincentes. Após a surra moral que recebemos dos filósofos, estávamos ansiosos por receber boas notícias na área da doação.

Confira uma abordagem abrangente desse tema na obra do projeto Science of Generosity, sediado na Universidade de Notre Dame. Em particular, a obra *The Paradox of Generosity*, de Christian Smith e Hilary Davidson, é um recurso que recomendamos a todos que se interessem em estudar esse tema em detalhes. Que descobertas surgiram até agora?

Em primeiro lugar, doar faz bem para o doador. Isso é ótimo! Práticas intencionais e regulares de generosidade foram associadas à liberação de uma enxurrada de substâncias químicas positivas, incluindo oxitocina, dopamina e várias endorfinas. Tais substâncias químicas são as mesmas liberadas após a prática intensa de exercícios físicos ou de uma experiência especialmente prazerosa. Aliás, a generosidade está associada, de forma clara e robusta, ao senso de propósito na vida, à felicidade pessoal e à saúde pessoal geral. Tudo indica que doar melhora a saúde humana da mesma maneira que a aspirina protege o coração. Por fim, doar até ativa a mesma parte do cérebro que se acende quando alguém ganha na loteria ou recebe um aumento. Talvez você não consiga controlar quando ganhará um aumento, mas pode se sentir igualmente bem ao se engajar na prática regular e consistente da generosidade. Se Singer, Kant, Aquino e Carnegie nos obrigam a fazer isso, pelo menos podemos nos divertir no processo!

Em contrapartida, a falta de generosidade faz mal para o ser humano. Descobriu-se que quem não doa com regularidade abriga níveis mais elevados de cortisol, o hormônio do estresse, que está ligado a uma série de males, desde dores de cabeça a derrames e depressão. Que outras áreas sofrem quando vivemos de forma não generosa? Que tal resistência à dor, regulação da temperatura corporal, pressão sanguínea e controle do medo?[10] Uma vida autocentrada e autoindulgente está literalmente nos matando no mundo ocidental rico. Conforme os autores explicam:

> Os norte-americanos que não doam 10% de sua renda correm o risco significativo de ser menos felizes do que poderiam ser. De fato, são menos felizes como grupo. Logo, o que quer que seja que os norte-americanos perdem ao doar 10% de sua renda é compensado pela maior probabilidade de ser feliz na vida. [...] Em vez de deixar os generosos no extremo negativo de uma barganha desigual, as práticas de generosidade têm maior probabilidade de prover aos doadores os bens essenciais da vida que dinheiro e tempo simplesmente não podem comprar: felicidade, saúde e propósito. Trata-se de um fato empírico que vale muito a pena conhecer.[11]

Para muitos, os parágrafos anteriores podem ter sido uma inspiração para escrever um cheque de mil dólares a fim de conseguir logo os benefícios de saúde associados à doação, sem mudar sua forma de pensar ou viver. Infelizmente, isso não funcionaria pelo mesmo motivo que consumir uma refeição saudável não nos ajuda a eliminar os quilos extras adquiridos por causa de maus hábitos alimentares contínuos. O tipo de generosidade relacionado a bons resultados provém de uma mentalidade de

---

[10] R. Bodnar e G. Klein, "Endogenous Opiates and Behavior: 2003", *Peptides* 25, n. 12 (2004), p. 2205-2256. Ver também Marques e Sternberg, "The Biology of Positive Emotions and Health", p. 164.

[11] Smith e Davidson, *The Paradox of Generosity*.

fartura e gratidão no longo prazo, não do tipo carregado de culpa ou obrigação. Logo, necessitamos é de uma revolução centrada no evangelho em nosso modo de pensar! Para nós, essa foi uma notícia bem-vinda. Ver os filósofos tirarem dinheiro do nosso contracheque por culpa não parecia muito prazeroso. Se conseguíssemos descobrir como obter essa mentalidade generosa, então quem sabe esse seria um caminho melhor a percorrer.

Para dar alguns exemplos do que funciona e do que não funciona, simplesmente ser gentil com as pessoas e sorrir para estranhos não basta. Doar 100% dos bens no testamento não é suficiente — dar dinheiro para caridade no testamento é inútil no que diz respeito aos resultados positivos. Doar sangue quando a empresa pede não basta, nem fingir ter o coração generoso. A generosidade que acalma a alma e cura o corpo é a que se integra ao estilo de vida, que se torna algo fundamental para o doador e é feita com alegria em atitude de fartura. Essas foram as conclusões a que chegou a iniciativa Science of Generosity após estudar mais de dois mil norte-americanos.

Soa familiar para você? O Princípio 6, derivado das Escrituras, afirma que a doação deve ser voluntária, generosa (até sacrificial), alegre e voltada para as necessidades. E o Princípio 7 diz que doar com generosidade é crucial para nossa saúde espiritual, libertando-nos do cativeiro do dinheiro. Parece que, neste caso, a ciência moderna comprovou o que as Escrituras já têm afirmado há milhares de anos.

À medida que concluíamos nosso mergulho profundo na verificação empírica dos Princípio 5, 6 e 7, imaginando como podíamos aprender a doar com alegria, nós nos descobrimos no meio de diálogos muito relevantes com Denise Whitfield, conselheira de finanças em Seattle. Conversar com Denise é uma experiência alegre. Ela elabora frases com graça, cuidado e fluidez, ajudando o diálogo a se desenvolver sem esforço. Em poucos minutos, você sente que está com uma amiga que já conhece há

MOTIVAÇÕES PARA DOAR **99**

décadas. Há, porém, mais por trás da empolgação de Denise do que boas habilidades de conversação. As correntes de alegria que fluem por baixo da superfície de seu coração se tornam praticamente visíveis à medida que você passa a conhecê-la. Ela é a mais experiente dos nossos outros novos amigos, já na casa dos sessenta anos, mas talvez seja a que consiga transparecer mais senso de aventura na vida que qualquer outro que conhecemos durante nossa jornada. Conforme a própria Denise define, seu espírito de alegria vem de uma "mentalidade de fartura", algo que Deus passou muitos anos ensinando a ela. Ficamos, é claro, curiosos para aprender mais.

Denise foi criada por um pai cristão e uma mãe sem compromisso com religião. Ela nunca se considerou cristã até os 16 anos, quando encontrou alguns "seguidores de Jesus" em uma cafeteria e, por meio deles, conheceu Jesus como seu Salvador pessoal. Ao entrar na idade adulta e se casar com 21 anos, o mundo parecia uma empolgante escalada rumo a companhias sociais e econômicas cada vez mais rarefeitas. Ela e o marido prosperaram profissionalmente e passaram a desfrutar um estilo de vida que muitos invejavam. Cursar a Harvard Business School foi para Denise uma experiência memorável que consolidou seu lugar no que ela enxergava como um emocionante mundo de elite. Em suas próprias palavras: "Senti que havia recebido as chaves de ouro para o reino e agora fazia parte dos 'aceitos'. Foi algo fascinante".

Ao longo das décadas seguintes, enquanto Denise e o marido criavam os filhos, eram dizimistas, ou, pelo menos, quase isso. Sempre parecia uma luta chegar aos 10%, mas, mesmo assim, doavam fielmente. Isso nos parece familiar com base em nossos padrões de doação antes de ingressarmos em Harvard. Na igreja de classe alta e renda elevada que eles frequentavam, talvez fosse mais comum ouvir as pessoas comparando suas férias exóticas mais recentes do que conversando sobre o evangelho. Ao se aproximar dos 50 anos e convivendo nessa comunidade, Denise sentiu que Deus começava a chamá-la para uma jornada espiritual mais profunda do que tivera até então. Ela começou a escrever, a adotar momentos de meditação e solitude e a esperar em Deus com expectativa, em busca do que quer que ele lhe tivesse reservado. Durante um período de vários anos, o Espírito Santo revelou que o medo havia sido a força dominante da vida de Denise. Medo de não ter o bastante, medo de não se encaixar nos ambientes, medo de um milhão de coisas diferentes que poderiam dar errado. Ela reconheceu que sua vida inteira tinha sido impulsionada por aquilo que chamou de "mentalidade de escassez", a necessidade de proteger e preservar, de se agarrar às posses e oportunidades para que elas não escapem em um momento de desatenção.

Felizmente, à medida que entregou o coração a Deus e continuou a buscar sua presença por meio das disciplinas espirituais, a mentalidade de fartura começou a substituir a mentalidade de escassez movida pelo medo. Ela reflete que, durante esse período, sentiu que o Senhor a estava chamando a ir fundo, cada vez mais. "Você está segura comigo, não importa o que mais aconteça. Você sempre pode ir mais fundo em minha presença."

Foi de fato a soberania de Deus que preparou Denise dessa maneira, pois, logo depois dessa transformação, seu marido perdeu o emprego e o alto salário em uma empresa privada. De repente, a família Whitfield não tinha mais recursos para o estilo de vida extravagante de seus amigos. Por necessidade, fizeram um corte radical nos gastos e apertaram os cintos para superar um período de relativa dificuldade. O mais surpreendente é que todos os amigos que eles imaginavam conhecer tão bem sumiram de sua vida. Se um irmão ou uma irmã em Cristo deixa de estar próximo quando você não tem condições de ir de avião para sua casa nas montanhas durante o inverno, qual seria, de fato, a força dessa amizade? Logo ficou bem claro com quem Denise e o marido podiam conservar laços fortes de amizade,

MOTIVAÇÕES PARA DOAR **101**

e essas pessoas tendiam a ser aquelas que gastavam apenas uma pequena fração do que os indivíduos do antigo círculo gastam.

Embora os Whitfield estivessem conseguindo se ajustar bem ao orçamento recentemente reduzido, alguns de seus amigos mais ricos fizeram uma tentativa malsucedida de ajudá-los. Ofereceram-se desajeitadamente para levar comida para eles, caso não tivessem dinheiro para fazer compras de supermercado na época do Natal. Denise não precisava de compras básicas gratuitas, mas de amigos que permanecessem a seu lado em atitude de solidariedade durante uma época de ajuste do estilo de vida. Ainda que tivessem a melhor das intenções, a insensibilidade daqueles amigos ("Você não tem mais grana para passar as férias na Europa? Coitadinha! Tome aqui um pouco de dinheiro para ir ao supermercado!") a fez prometer que nunca mais se alienaria por meio de um estilo de vida de gastos elevados.

Denise superou essa experiência, notavelmente livre de qualquer amargura em relação àqueles que a abandonaram quando ela não podia mais viver de acordo com os padrões que eles consideravam ser um estilo de vida aceitável. Ela e o esposo encontraram novos amigos e uma nova maneira de viver. Com a mentalidade de fartura firme no lugar, ela acabou descobrindo que sua alegria foi mais forte nessa época de dificuldade financeira do que antigamente, conforme ela reorientou sua confiança, depositando-a por inteiro em Deus, não em bens materiais.

Com o ninho vazio e a renda da família reduzida, Denise decidiu voltar a trabalhar. Ela acabou se encontrando na área de consultoria financeira, onde alcançou ascensão rápida e sucesso extraordinário. Após aprender as duras lições da sedução falsa do consumo desenfreado, seus gastos permaneceram baixos, em comparação com o passado. Ela e o esposo decidiram estabelecer um limite com o qual ficariam satisfeitos — não muito mais de cem mil dólares por ano — e fazer de conta que isso era tudo que ganhavam. Se ganhassem muito além desse valor, o lado bom

102 DEUS E O DINHEIRO

seria que poderiam doar tudo para a obra do Senhor. Por causa de sua mentalidade de fartura, Denise não se preocupa em economizar mais para a aposentadoria ou para deixar uma herança. Todas as economias que faz são tiradas do limite estabelecido para seu estilo de vida, que ela considera "suficiente", e o que sobra é doado integralmente. Denise tem ganhado muito mais que o limite de seu estilo de vida nos últimos anos, mas se mantém firme no plano, com um espírito de alegria e aventura. Suas ambições acerca da doação cresceram à medida que seu orçamento de contribuição aumentou. Ela reflete que a transformação de coração que teve aos quarenta e tantos anos foi o ingrediente principal que a levou à condição de alegria de hoje. Sem essa mudança interna, ela teria começado a gastar a renda mais elevada a cada ano e estaria hoje na mesma situação em que se encontrava anos atrás. Para Denise, doar é uma consequência natural de sua mentalidade interior, não uma resposta a uma série de obrigações filosóficas ou morais. Ela doa não porque um livro lhe ordenou, mas porque vivencia uma liberdade em Cristo que torna impossível viver de qualquer outra maneira.

Ela faz uma reflexão acerca do grupo de amigos que deixou para trás: "Aceitei que posso não atender às expectativas daqueles que têm um estilo de vida de muita riqueza. São interesses diferentes e mundos diferentes. Eles estavam tão preocupados com suas conquistas que tinham pouquíssimo tempo para se aprofundar em conversas significativas, para ir além da superfície. Seria bom conversar ocasionalmente com alguém sobre algo diferente do que as últimas férias, a nova casa ou o problema com a decoradora". É extraordinário ver como ela enxerga hoje o estilo de vida que antes a enchia de encantamento e curiosidade, apesar de ganhar o suficiente para voltar a esse círculo, caso quisesse. Em vez de olhar para cima socialmente e tentar alcançar um estilo de vida mais sofisticado, Denise agora olha para fora, para o mundo, doando generosamente a fim de ajudar

MOTIVAÇÕES PARA DOAR **103**

quem passa necessidade. Cremos que a jornada de Denise é uma ilustração maravilhosa de como o evangelho pode fazer nascer a alegria da generosidade no coração de alguém.

Conforme você já viu neste capítulo, as pesquisas sobre doação apontam para os muitos benefícios da generosidade, incluindo efeitos na saúde. Perguntamos a Denise se ela sentiu que a transformação de coração pela qual passou impactou outras áreas da vida além das finanças. Seu rosto se iluminou na mesma hora e ela exclamou: "Sou uma pessoa completamente diferente! A mentalidade de escassez estava ligada a uma luta permanente contra a balança. Quando Deus me libertou do medo, comecei a perder peso". Hoje, ela já eliminou mais de vinte quilos desde que começou sua jornada de fartura ao lado do Senhor. Embora não promovamos a doação financeira como estratégia para perda de peso, no caso de Denise havia uma ligação poderosa entre a mentalidade de escassez e seus hábitos alimentares. Assim que Deus a libertou, tudo mudou! Ainda que seja diferente para cada um, acreditamos na verdade de que uma mentalidade de fartura atinge a psique humana de modo profundo, trazendo nova vida em diversos níveis.

Enquanto Denise contava sua história, presumimos que ela havia lido *The Paradox of Generosity*, por causa das duas palavras de contraste que ela escolheu, "escassez" e "fartura", essenciais para a mensagem e o vocabulário desse livro.

Na obra, os autores falam sobre como a mentalidade do indivíduo dita o *status* percebido por si mesmo. Por exemplo, alguém com mentalidade de fartura vê o mundo como um lugar de bênção, abastança e abundância, ao passo que a mentalidade de escassez provavelmente o leva a entender o mundo como um lugar de deficiência, vulnerabilidade e insegurança. Tais percepções estão pouco relacionadas a riqueza ou nível de renda, mas sim a processos mentais subjacentes.[12]

---

[12] Smith e Davidson, *The Paradox of Generosity*, p. 74.

O mais interessante é que Denise não havia lido o livro. Tais palavras eram apenas a melhor maneira de descrever a mentalidade predominante na sociedade atual em contraste com a mentalidade de esperança e liberdade encontrada entre os que se renderam às verdades de Cristo. Nós havíamos lido o livro sobre os benefícios de uma mentalidade de fartura, mas ela os havia experimentado na própria vida. Depois de nossas conversas, Denise refletiu profundamente em sua fala sobre a transição de uma mentalidade de escassez para a mentalidade de fatura e como isso a libertou espiritualmente. Ela nos enviou o poema a seguir, escrito após uma de nossas conversas por telefone acerca da mentalidade de escassez que "nos afasta da generosidade".

Escassez
Dolorosa
Ela o agarra
Rouba-lhe a alegria
Mente para ele
Ruge e reclama
Murmura e choraminga
Nunca se satisfaz
Emburra
Nega Deus
Aceita a conspiração
Finalmente vence
E ele se perde

Eu (John) me reconheci nas palavras trágicas de Denise sobre a mentalidade da escassez. Em meu desejo por segurança e uma situação feliz de aposentadoria antecipada, eu havia perdido de vista o valor e a liberdade maravilhosos disponíveis em Cristo hoje. Meu mundo só se focava no futuro e em tudo que eu seria capaz de construir. O curso em Harvard era o caminho infalível para que eu garantisse um salário anual de seis dígitos

MOTIVAÇÕES PARA DOAR **105**

para sempre — uma rede de segurança falsa. As filosofias e as Escrituras que denunciavam um estilo de vida egoísta pareciam uma inconveniência que eu precisava superar, não um chamado para uma mudança de coração. Mas o testemunho de Denise continua a trabalhar em meu coração à medida que procuro conhecer a vontade de Deus para minhas finanças e minha vida no geral, buscando a transformação interna que ela tem e que foi estudada pela iniciativa Science of Generosity. Antes de começar este projeto, minha esperança era pegar tanto quanto eu conseguisse para mim e minha família e guardar, mas essa falsa esperança lentamente deu lugar a uma visão mais grandiosa de compartilhar a obra de construção do reino de Deus no mundo. De vez em quando, releio o poema de Denise, penso na história dela e lembro-me de ser grato porque meu Senhor supre em profusão cada uma de minhas necessidades.

4

TENDÊNCIAS E MOVIMENTOS DE GENEROSIDADE

Há três conversões pela qual o indivíduo precisa passar: a conversão da mente, a conversão do coração e a conversão do bolso.

MARTINHO LUTERO, PARÁFRASE

Até aqui, revisamos as Escrituras, extraímos delas princípios fundamentais e também aprendemos como doar é uma boa decisão da perspectiva tanto moral quanto médica. A despeito dessas motivações, porém, as estatísticas revelam que os cristãos norte-americanos simplesmente não doam muito dinheiro. Se esses princípios revelam com precisão o que a Bíblia ensina acerca de riqueza e dinheiro, deveríamos esperar que os cristãos doassem com generosidade, ajudassem os pobres e honrassem a Deus com suas riquezas. Infelizmente, os Gráficos 1 e 2 revelam o padrão consistente de baixo índice de doação nos Estados Unidos ao longo do último século.[1]

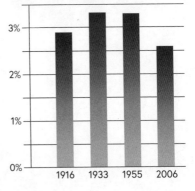

Gráfico 1: Porcentagem da renda doada à igreja por protestantes norte-americanos anualmente

---

[1] Veja mais sobre essas estatísticas em Empty Tomb, Inc., "The State of Giving Through 2006".

Gráfico 2: Percentual de renda destinado a doação de caridade por faixa de renda

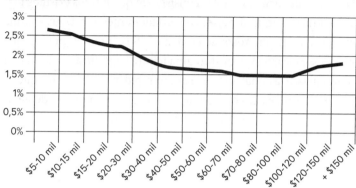

Outras pesquisas realizadas por Christian Smith e Hilary Davidson na Universidade de Notre Dame indicam que menos de 3% dos adultos norte-americanos doam 10% ou mais de sua renda, percentual que muitos consideram a medida mínima da verdadeira generosidade.[2] Esses dados pintam um retrato esclarecedor. As doações nos Estados Unidos permaneceram inalteradas como percentual de renda ao longo do último século, a despeito do fato de que a qualidade de vida da maior parte dos norte-americanos teve um aumento substancial durante o mesmo período.

De acordo com quase todas as definições, é difícil classificar tais padrões como "generosos" ao se levar em conta a qualidade de vida que a maioria da população desfruta hoje, em especial os privilegiados que se encontram no lado direito do Gráfico 2. Smith e Davidson resumiram muito bem na primeira linha de seu estudo: "Os Estados Unidos têm um problema de generosidade".

---

[2] Smith e Davidson, "Giving Makes Us Happy. So Why Do So Few Do It?", <https://generosityresearch.nd.edu/news/giving-makes-us-happy-then-why-do-so-few-do-it/>. Acesso em 27 de maio de 2019.

108 DEUS E O DINHEIRO

O que pode explicar esse padrão de baixo índice de doação? Uma das justificativas talvez consista em que muitos cristãos não sabem que a riqueza pertence verdadeiramente a Deus ou que eles devem ser generosos ao contribuir. Suspeitamos, porém, que não é esse o caso. Até mesmo uma leitura superficial da Bíblia e a frequência ocasional à igreja seriam rápidas em instruir aqueles que pudessem estar confusos acerca de qual é a posição de Deus em relação à riqueza e ao dinheiro. A segunda explicação é que muitos cristãos sabem que a riqueza verdadeiramente pertence a Deus e que eles devem ser generosos ao doar, mas não têm ideia de como de fato pôr essas atitudes em prática. É provável que as barreiras à obediência nessas áreas se devam à combinação de falta de conhecimento acerca de como doar, preocupação excessiva em prover para a família e economizar para o futuro e, para sermos francos, questões significativas de pecados relacionados a egoísmo, materialismo e falta de compaixão pelos pobres. Um dos principais impulsionadores de tais questões é o contexto cultural em que vivemos. Nossa cultura consumista, que prega o materialismo em todos os alto-falantes, tende a esconder que tais atitudes de muitos indivíduos são problemáticas e pecaminosas. Na exortação apostólica *Evangelii Gaudium,* o papa Francisco explica as consequências dessa situação:

> Quase sem nos dar conta, tornamo-nos incapazes de nos compadecer ao ouvir os clamores alheios, já não choramos à vista do drama dos outros, nem nos interessamos por cuidar deles, como se tudo fosse uma responsabilidade de outrem, que não nos incumbe. A cultura do bem-estar anestesia-nos, a ponto de perdermos a serenidade se o mercado oferece algo que ainda não compramos, enquanto todas estas vidas ceifadas por falta de possibilidades nos parecem um mero espetáculo que não nos incomoda de forma alguma.[3]

[3] Papa Francisco, *Evangelii Gaudium*, p. 46.

TENDÊNCIAS E MOVIMENTOS DE GENEROSIDADE   **109**

É provável que muitos de nós não tenhamos consciência de até que ponto fomos influenciados por nossa cultura para nos tornarmos mais apegados à nossa riqueza e menos gratos a Deus por sua provisão e bênção, ainda que alguns de nós experimentemos a "consciência pesada" em relação à nossa riqueza material e doação — uma "coceirinha" que nos diz que deveríamos estar fazendo mais. De modo geral, é uma situação deprimente. Com uma perspectiva tão sombria, começamos a nos perguntar se existe esperança no horizonte. Existem redutos dentro da igreja nos quais a doação é mais disseminada? Em caso afirmativo, o que podemos aprender com essas anomalias esperançosas?

A primeira lufada de esperança se encontra nos dados do projeto Science of Generosity, apresentados no livro *Passing the Plate*.[4] Já vimos que a maioria dos norte-americanos não é generosa, incluindo aí muitos dos que se professam cristãos. No entanto, e se afunilarmos para os cristãos que frequentam a igreja com regularidade e ganham mais de noventa mil dólares por ano? Teoricamente, esse grupo reúne cristãos cuja dedicação é no mínimo parcial (suficiente para se levantar aos domingos de manhã e ir à igreja) e também com capacidade financeira clara para doar. É animador perceber que essa parcela demográfica doa uma média de 8,8% da renda bruta por ano, um número significativamente mais alto.

Talvez não seja realista pesquisar entre os que se identificam como cristãos nos Estados Unidos e esperar encontrar algo materialmente distinto da sociedade como um todo. Essa é uma nação que já foi culturalmente cristã no passado, na qual as pessoas podem alegar que professam afiliação religiosa sem conhecer muito sobre a pessoa de Jesus Cristo. Billy Graham fez a célebre estimativa de que somente 25% das pessoas que frequentam as

---

[4] Smith e Emerson, *Passing the Plate*, p. 47.

igrejas são de fato cristãos convertidos. De acordo com os dados encontrados em *Passing the Plate*, os 25% membros mais generosos das igrejas doam 90% dos recursos totais arrecadados pelas igrejas do país. (Observe que se trata dos 25% mais generosos classificados pelo percentual da renda que é doado, não pelo total entregue. Assim, o número inclui a pessoa que doa uma grande fração de sua renda anual de 10 mil dólares, mas exclui quem ganha 1 milhão de dólares e doa apenas 2% para a igreja.) Com essa única particularidade, torna-se interessante especular se a aproximação com Cristo e sua igreja é um impulsionador causal de maior generosidade.

A fim de investigar essa possibilidade, criamos nosso próprio projeto informal de pesquisa. E se pudéssemos nos aprofundar um nível a mais e ir em busca dos seguidores muito dedicados de Jesus que ganham salários elevados? O que descobriríamos? Nossa pesquisa sobre riqueza e doação cristã, realizada no outono de 2014, nos deu algumas respostas preliminares a essa pergunta. Ficamos surpresos e encorajados pelos resultados.

Tabela 2: Índice de doação para caridade em diversos grupos demográficos

Grupo demográfico	Percentual de doação
Norte-americanos	<3%
Norte-americanos ricos	<3%
Norte-americanos "cristãos"	<3%
Norte-americanos que frequentam uma igreja	5–8%
Pesquisa informal com cristãos ricos e dedicados	>10%

Observe a progressão. À medida que nivelamos e selecionamos a devoção e a presença de renda disponível, o índice de doação aumenta drasticamente.

Um de nossos amigos de curso em Harvard, natural da Libéria, outra nação predominantemente cristã, fez uma observação que acreditamos ser relevante aqui. Culturas diferentes têm áreas diferentes de pecado que são normalizadas e aceitas, ao passo que outras são agressivamente condenadas. Todo pecado merece atenção, mas a cultura na qual se reside dita a seriedade de determinadas transgressões para a opinião pública. Nos Estados Unidos, certos pecados sexuais são considerados muito graves, como de fato devem ser. Mas a ganância financeira não é condenada com alarde. Aliás, às vezes é vista como virtude! Ninguém é isolado do convívio social nos Estados Unidos por causa de avareza financeira.

Na Libéria, é exatamente o contrário. Ao passo que há certa permissividade sexual na cultura do país, a falta de generosidade é vista com desdém social completo. Considera-se inaceitável enriquecer sem partilhar da própria fartura com os outros. Precisamos tentar ter consciência de nossa cegueira cultural. Em uma sociedade consumista que celebra a riqueza e o individualismo, devemos tomar cuidado para não sucumbir ao entorpecimento em relação ao pecado da avareza.

A GENEROSIDADE DE EMPRESÁRIOS CRISTÃOS DEDICADOS

Eu estou, basicamente, tentando morrer "falido". Quero doar tudo enquanto estou vivo para garantir que chegará aos lugares corretos que planejei. Doar é, para mim, uma forma de adoração e um teste para o coração: meu coração está no dinheiro/nas coisas ou em Deus? O materialismo nada mais é que uma distração e uma barreira ao desenvolvimento da fé.

Resposta à pesquisa

Nossa pesquisa incluiu mais de duzentos indivíduos e teve dois objetivos principais. Primeiro, tentamos entender como os cristãos

DEUS E O DINHEIRO

de renda elevada pensam e administram sua riqueza e doação hoje. Em segundo lugar, tínhamos a esperança de testar a atratividade das ideias que estávamos explorando para este livro. Aqui está uma síntese das principais reflexões geradas pela pesquisa.

Parcela demográfica dos participantes da pesquisa

Todos os participantes da pesquisa se identificaram como cristãos, e 99% afirmaram que sua fé é "muito importante" ou "central" para sua maneira de conduzir a vida. Quase todos são ex-alunos da Harvard Business School. Entre os demais entrevistados estão contatos pessoais e profissionais tanto dos autores quanto dos participantes da pesquisa (pedimos aos ex-alunos para quem enviamos a pesquisa que a encaminhassem a outros indivíduos em seu círculo de conhecidos que pudessem ser bons candidatos a participar dela).[5] A faixa etária variou entre a casa dos 20 e dos 70 anos de idade. A riqueza ia desde a classe média até aqueles com patrimônio de 20 milhões de dólares ou mais. O participante mediano ou típico da pesquisa era do sexo masculino, na faixa dos 40 anos, residente em uma casa com 3 ou 4 pessoas, frequentador de uma igreja não denominacional, com renda de 200 mil a 400 mil dólares por ano e um patrimônio líquido de 1 a 5 milhões.

Doação cristã

Dez por cento de 1 milhão não é, na verdade, um grande sacrifício. Acredito que a porcentagem deve crescer à medida que a renda aumenta.

Resposta à pesquisa

Nossa primeira expectativa era entender como os cristãos de renda mais alta concebem e administram sua riqueza e doação

---

[5] Uma vez que a pesquisa foi anônima, não sabemos a porcentagem exata de ex-alunos e não ex-alunos.

hoje. Descobrimos que a maioria dos cristãos de renda mais alta (cerca de 60%) acredita que deve dar o "dízimo tradicional" (i.e., 10% da renda), além de ofertas adicionais, conforme a direção de Deus. Apenas 10% dos participantes afirmaram que os cristãos são chamados a dar "somente" o dízimo tradicional. Os cerca de 20% restantes creem que o cristão deve doar o percentual de sua renda que se sentir chamado a dar. Os participantes parecem colocar o dinheiro exatamente onde dizem que ele deve estar: o participante médio doa 10% da renda anual da família todo ano, e alguns doam 20% ou mais.

Teste do limite de estilo de vida e do limite de patrimônio líquido

Temos doado 50% de nossa renda desde que alcançamos alguns milhões de dólares em patrimônio líquido, há mais de uma década. [...] Doamos quase toda nossa renda atual, ou mais, mas nossos ativos continuam a valorizar.

Resposta à pesquisa

Após entender como os participantes da pesquisa administram sua riqueza e doação hoje, testamos a atratividade de limitar o estilo de vida intencionalmente a fim de doar com mais generosidade, em especial ao limitar os gastos anuais ou o patrimônio líquido. Perguntamos sobre o interesse dos participantes nessa ideia, bem como que valor em dólares eles considerariam para esse tipo de limite. Essa última pergunta depende muito, é claro, de circunstâncias individuais específicas, que incluem área geográfica de residência, número de filhos, obrigação de cuidar de pais idosos ou filhos com necessidades especiais etc. Ainda assim, aprendemos muito ao ver qual foi o limite médio estabelecido pelos participantes da pesquisa.

Gráfico 3: Sugestão dos entrevistados para um limite razoável de gastos com o estilo de vida

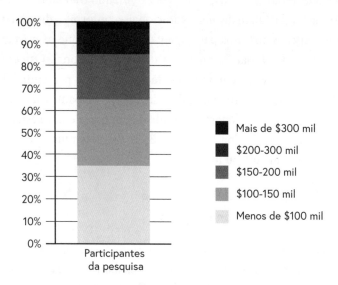

Pouco mais de 50% dos participantes reagiram positivamente a estabelecer um limite de gastos, e a maioria limitou o valor a menos de 150 mil dólares por ano. O mais surpreendente foi a resposta à pergunta sobre limites de patrimônio líquido. Cerca de 1/4 dos participantes disse que faz isso ou planeja fazer, e 1/4 afirmou que não gostou da ideia. No entanto, *mais da metade* explicou que achou a ideia interessante, mas nunca tinha ouvido falar dela ou pensado bastante a esse respeito. A ideia de descobrir "quanto é suficiente" não é nova, sobretudo nos círculos cristãos. Por isso, achamos surpreendente que mais da metade de uma amostra grande de empresários jamais tenha refletido sobre isso! Parte de nossa esperança para este livro é que mais pessoas sejam expostas a essa ideia. O valor médio de patrimônio líquido sugerido foi de aproximadamente 5 milhões de dólares, sendo que metade sugeriu um número maior, e a outra metade, um número menor.

Gráfico 4: Qual você acha que deve ser o limite de patrimônio líquido para sua família?

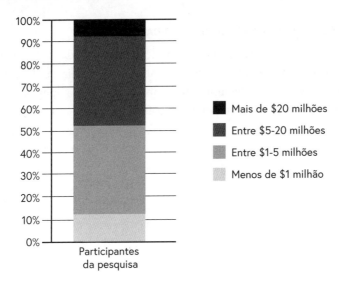

Síntese

A maioria dos participantes contribui com no mínimo 10% da renda a cada ano. Considerando que somente 3% dos norte-americanos doa 10% ou mais, é surpreendente que mais de 50% dessa parcela populacional o faça. Os participantes se mostraram divididos de modo uniforme quanto ao apoio à noção de um limite de gastos com o estilo de vida. O apoio a um limite de riqueza foi bem maior: 75% se mostraram favoráveis à ideia. Dito isso, o abismo entre o interesse e a prática de cada conceito salienta a necessidade de mais instrução e comunicação acerca desses temas atualmente nas igrejas, incluindo tanto a base teológica e bíblica para administrar nossa riqueza dessa forma quanto a educação prática de como executar tais conceitos no mundo real (fique de olho nos capítulos 5 a 8!). Somos incrivelmente gratos a todos os mais de duzentos participantes da pesquisa,

116 DEUS E O DINHEIRO

bem como àqueles que nos ajudaram a entrar em contato com esse público.[6]

DEFESA COMPETITIVA DA GENEROSIDADE

Na comunidade da fé e na sociedade como um todo, as pessoas estão ficando cada vez mais motivadas com a ideia de doar. O caso cristão é emblemático: há quinze anos, havia apenas dois ministérios cristãos voltados exclusivamente para a mordomia. Hoje, são no mínimo dezesseis.[7] Estamos testemunhando uma proliferação do interesse pelo tema de como os cristãos devem lidar com sua riqueza para a glória de Deus.

Generous Giving é um dos mais antigos dentre esses ministérios e existe para promover o crescimento da generosidade dentro do corpo de Cristo, sobretudo entre aqueles que possuem mais recursos. Todd Harper, o presidente da organização, tem visto esse interesse crescer ao longo dos anos e vislumbra para onde tudo isso pode estar se dirigindo:

> E se a cultura de doação cristã predominante pudesse mudar, de tal modo que não fosse mais uma rara exceção ver alguém vivendo com generosidade financeira radical? E se ouvir sobre cristãos que doam 50%, 70% ou 90% para o reino se tornasse comum? E se o cristão que economiza todo o seu dinheiro e acumula uma fortuna

---

[6] Agradecemos, em particular, a Jeff Barneson, capelão de Harvard e líder da InterVarsity na Harvard Business School. Jeff nos deu acesso a sua lista de *e-mails* de ex-alunos e foi isso que nos permitiu alcançar um grupo tão vasto de ex-alunos da instituição. Também somos gratos aos muitos entrevistados que encaminharam a pesquisa a outros de sua rede de contatos. Ficamos extremamente animados pelo alto índice de resposta à pesquisa. Cremos que isso demonstra tanto a força da rede de ex-alunos de Harvard (sobretudo da HBS Christian Fellowship) quanto a importância desses temas na vida dos cristãos ao redor do mundo.

[7] Conversa com alguém do ramo, que nos apresentou um mapeamento estratégico de todas as instituições ligadas à generosidade e mordomia, juntamente com as diversas maneiras pelas quais elas servem o corpo de Cristo.

fosse a anomalia, porque todos os outros estão extremamente focados em doar?

Por anos e anos, a produção de petróleo nos Estados Unidos continuou a declinar em ritmo lento. As pessoas sentiam que reverter a situação e reduzir nossa dependência do petróleo importado de outros países era impossível. Há alguns anos, porém, engenheiros e empreendedores criativos descobriram a fratura hidráulica e tudo mudou. A produção nacional subiu 50%. Os geólogos sabiam que a matéria-prima estava ali, só não haviam descoberto como extraí-la. Creio que a doação cristã se encontra na mesma situação. Nós, como igreja, estamos no processo de descobrir como começar a liberar nossa tremenda riqueza, que tem ficado trancada dentro das famílias, e começar a mobilizá-la a fim de realizar grandes obras para a glória de Deus. O índice de doações, que permaneceu estagnado por tanto tempo, pode começar a crescer, assim como a produção nacional de petróleo reverteu uma tendência que já durava décadas.

Acreditamos que essa mudança cultural está à vista, no horizonte, se os cristãos de alta renda despertarem e aceitarem o chamado à ação. Queremos fazer parte disso! Aliás, considerando o nível massivo de riqueza presente na sociedade norte-americana atual, cremos que tal mudança cultural poderia permitir que a igreja conclua o componente de proclamação da Grande Comissão em um prazo muito curto.[8] Quando olhamos para o acúmulo de riqueza na história humana, os trilhões de dólares que existem hoje foram gerados, em sua maior parte, em poucas gerações. Ao longo de toda a história humana até a revolução industrial do século 18, a riqueza era extremamente limitada. Hoje, a riqueza global se encontra na casa de dezenas de trilhões de dólares. O "problema" da riqueza excessiva, que costumava se

---

[8] A Grande Comissão inclui o discipulado, que nunca "termina". Ansiamos, porém, pelo dia em que todas as pessoas do mundo terão ouvido a mensagem evangélica de Jesus e recebido uma chance de aceitá-la.

118 DEUS E O DINHEIRO

limitar aos reis, hoje se aplica a milhões de famílias. Se a igreja cristã ativasse e mobilizasse os recursos da riqueza colossal que o Senhor nos confiou, os resultados seriam inacreditáveis.

Só para sonhar alto por um instante, qual seria o valor necessário para realizar todos os itens a seguir? Que sacrifícios precisaríamos fazer para que estes objetivos se tornem realidade?

- Custear 1 milhão de missionários nativos em tempo integral em nações pobres ao redor do mundo.
- Fornecer todos os recursos para a campanha global da malária.
- Quadruplicar o orçamento das missões mundiais para o alcance de nações não evangelizadas.
- Fornecer alimentos, roupas e abrigos para todos os 6,5 milhões de refugiados na África, Ásia e no Oriente Médio.
- Triplicar o orçamento global de tradução da Bíblia.
- Custear 150 mil bolsas de estudo para estudantes promissores em economias emergentes.
- Duplicar o orçamento operacional da ONG World Vision.
- Fundar oito novas universidades cristãs ao redor do mundo.
- Contratar 25 mil missionários norte-americanos para trabalhar em nossos *campi* universitários.

Isso parece ambicioso demais, beirando o impossível? O preço é de 20 bilhões de dólares.[9] Os cristãos norte-americanos possuem à sua disposição uma renda anual de mais de 5 trilhões de dólares,[10] transformando-nos na comunidade de cristãos mais rica da história mundial. Se dedicarmos coletivamente 0,4% de

---

[9] Adaptado de dados disponíveis em Smith e Emerson, *Passing the Plate*. Agradecemos os autores pela reflexão extraordinariamente engajadora que apresentam no capítulo 1 do livro que escreveram sobre o assunto.
[10] Stearns, *The Hole in Our Gospel*.

nossa renda, ou seja, 1 dólar a cada 250, conseguiremos alcançar os objetivos citados acima. Cremos que Deus ordenou a era moderna da história para a criação de riqueza e que a pesada responsabilidade de administrar esse presente recai sobre os milhões de cristãos abastados do mundo ocidental.

Dado o nível descomunal de riqueza nas mãos dos seres humanos modernos, faz sentido que movimentos em prol da doação de recursos começassem a surgir, com os cristãos na liderança. Isso de fato já se iniciou. Pat Gelsinger, CEO da VCWare, é cristão. Em tempos recentes, foi tema de uma reportagem na revista *Business Insider*, em um artigo que destacou o fato de que ele doa metade de sua renda, motivado pela forte fé cristã que cultiva.[11] Contudo, também identificamos que a maioria dos artigos sobre generosidade dão destaque a movimentos seculares.

- Bill Gates lidera uma iniciativa chamada Giving Pledge, para a qual 128 famílias bilionárias já deram sua assinatura, comprometendo-se a doar pelo menos metade de seu patrimônio líquido em vida ou depois de morrer.
- Para quem tem menos recursos, Peter Singer organizou um pacto ligado ao livro de sua autoria *The Life You Can Save*. Esse pacto requer a destinação mínima de 1% da renda para organizações extremamente eficazes no combate da pobreza extrema ao redor do mundo.
- Existe também a iniciativa Giving What We Can, que eleva o nível de compromisso. Os membros devem assinar e comprometer-se a doar no mínimo 10% de sua renda ao longo do resto da vida, desde o momento da assinatura até a aposentaria, a fim de aliviar o sofrimento global. Observe

---

[11] "The CEO of this $ 30 billion company gives half of his gross income to charity", *Business Insider*, <https://www.businessinsider.com/this-ceo-gives-away-half-of-his-income-2015-8>. Acesso em 27 de maio de 2019.

que essa organização não tem nenhum tipo de filiação religiosa, mas seus padrões de doação são mais elevados que os da maioria das igrejas norte-americanas! Apesar de ter poucos anos de existência, a instituição já acumulou mais de 100 milhões de dólares em compromissos.

- Por fim, existe um grupo chamado Radical Givers, cujos membros se comprometem a doar no mínimo 33% da renda bruta para instituições de caridade muito eficazes ao redor do mundo, com o objetivo de combater a extrema pobreza.

Nenhum desses pactos possui orientação cristã, mas tem obtido resultados poderosos no mundo inteiro para benefício dos "pequeninos". Adoraríamos ver os cristãos começarem a superar esses esforços com compromissos e movimentos próprios. Cremos que a igreja deveria estar liderando o diálogo sobre doação mundial e ultrapassando os pactos que vemos na sociedade atual. Embora os cristãos de hoje realmente doem um pouco para o trabalho missionário e para o alívio da pobreza, não poderíamos começar a elevar nosso padrão?

Nos próximos capítulos, ampliaremos a perspectiva macro que estamos abordando e começaremos um estudo profundo de como nosso dinheiro pode ser usado na esfera pessoal. Na Parte II, "Estruturas", fazemos perguntas difíceis e honestas sobre consumo, economia e doação, esforçando-nos por descobrir a maneira mais vivificante de usar cada centavo adicional que temos.

PARTE II

ESTRUTURAS

5

GPS: GASTADOR, POUPADOR OU SERVO?

*Não se engane: as ideias são importantes. As ideias nas
quais alguém crê determinam, em grande medida,
o tipo de pessoa que ele se torna. Todos têm uma
filosofia de vida. Isso não é opcional. O opcional,
e por isso mesmo de grande importância, é a adequação
da filosofia de vida de alguém.*
J. P. MORELAND E WILLIAM LANE CRAIG

Na Parte I, procuramos transmitir três ideias principais. Em primeiro lugar, a tradição cristã tem muito a dizer sobre doação, apoiada por evidências tanto da filosofia secular quanto das ciências sociais. Segundo, os cristãos da atualidade, apesar de viverem na sociedade mais rica da história, doam uma porção relativamente pequena de seus recursos para o avanço da igreja de Cristo e o auxílio aos pobres. Terceiro, existem algumas exceções notáveis a esse abismo perturbador — cristãos que sujeitam seus recursos financeiros a Deus em atitude de sacrifício, de maneira profunda e às vezes até mesmo chocante. Ao contemplarmos tais realidades, nós nos perguntamos se existiria uma estrutura mental comum que diferencie os cristãos muito generosos, incluindo nossos estudos de caso, do restante dos cristãos norte-americanos. Além disso, levando em conta os princípios bíblicos apresentados na Parte I, seria possível retratar a visão de mundo desses indivíduos generosos, traduzindo-a para um plano de ação prático e factível que qualquer cristão do século 21 possa seguir e trabalhar?

Cremos que a resposta para as duas perguntas seja um retumbante sim! Após estudar o tema em profundidade, acreditamos que a mentalidade de alguém em relação ao dinheiro pende para uma de três possibilidades. Sua "mentalidade financeira" faz de você um gastador, um poupador ou um servo com seus recursos financeiros.

- O *gastador*, representado pela maioria das pessoas no mundo ocidental, é alguém que busca o maior consumo imediato possível, mesmo ciente da necessidade de economizar um pouco.
- O *poupador*, em contrapartida, esforça-se para limitar o consumo até certo ponto, concentrando-se no acúmulo cada vez maior de riquezas.
- O *servo*, possuidor da mentalidade mais rara de todas, orienta sua vida a fim de limitar tanto o consumo quanto a construção de riquezas, focado em doar o máximo de dinheiro possível para abençoar outras pessoas.

A mentalidade financeira é dirigida por dois fatores: o foco temporal e a visão do propósito mais elevado do dinheiro. Do ponto de vista temporal, os gastadores valorizam o hoje, os poupadores dão valor máximo ao futuro e os servos maximizam o valor da eternidade. Tais atitudes são direcionadas por nossa visão do propósito do dinheiro. O gastador vê seus recursos financeiros como uma forma de "viver a boa vida", aproveitando cada parte do estilo de vida sofisticado que o dinheiro pode comprar. O poupador tem uma visão mais complexa do dinheiro, considerando-o quase que uma ferramenta para a segurança, estabilidade, flexibilidade e liberdade ou independência pessoal. O patrimônio líquido de um poupador pode se tornar uma maneira simples de "marcar o placar" da vida. O servo, em contrapartida, enxerga seu dinheiro como uma bênção em potencial para o mundo em nome de Cristo, desejando extrair o máximo desse potencial para causar um impacto positivo.

As três mentalidades financeiras sem dúvida podem se misturar, mas cada um de nós é capaz de identificar nossa mentalidade básica ao analisar qual é a maior expectativa que temos para nossa riqueza. Em vez de apenas examinar a porcentagem de renda que você gasta, economiza ou doa, o melhor é perguntar: "Em que eu concentraria meus pensamentos e esforços se minha renda começasse a aumentar drasticamente com o tempo?". Se você fosse esbanjar, esbanjar e esbanjar mais um pouco para aproveitar tudo que o mundo tem a oferecer, você é (isso mesmo!) um gastador. Se você buscasse pagar o financiamento imobiliário antecipadamente, aposentar-se mais cedo ou construir uma dinastia familiar de riqueza, é possível que seja um poupador. Se você começasse a pensar de imediato em como doar os recursos excedentes para iniciativas cristãs ao redor do mundo, sem dúvida você é um servo.

Eu (John) era um poupador típico antes de começar este projeto e estou tentando, aos poucos e com muita oração, fazer a transição para servo. Eu queria me aposentar o mais cedo possível, construir uma dinastia familiar duradoura para que meus filhos fossem ricos e, por fim, alcançar um patrimônio líquido de sete ou oito dígitos, a fim de garantir a estabilidade do estilo de vida. Conforme mencionei no Prefácio, minha senha de *internet* era "aposentado_aos_40". Toda vez que eu acessava uma página bancária ou de corretagem *on-line*, era lembrado de meu foco singular em alcançar independência financeira. Greg, por sua vez, considera que era gastador antes de começarmos este projeto. Embora separasse recursos moderados a fim de dar o dízimo e economizar para a aposentadoria, ele considerava o dinheiro restante uma oportunidade de gastar no que quer que lhe parecesse divertido no momento. Com o orçamento mensal de mil dólares para jantar fora e despesas anuais de viagens superiores a 5 mil, ele se esforçava para aproveitar a vida ao máximo e potencializar o prazer que poderia extrair de sua alta renda. Mesmo sendo dizimistas, Greg e eu não éramos servos. Eu considerava

126 DEUS E O DINHEIRO

o dízimo uma exigência meio incômoda, que me impedia de acumular riquezas mais rápido. Greg achava que devolver o dízimo o ajudaria a "permanecer dentro do favor divino" para que pudesse gastar o restante da maneira que desejasse. Ambos nos sentíamos bem por "doar fielmente", mas nenhum de nós tinha a mentalidade financeira adequada.

Autodiagnóstico

Onde você se encontra? Faça o teste a seguir, circulando a resposta que mais se alinha com seu coração. O objetivo é fazer um exercício leve e não científico, então não se sinta pressionado. Vamos antecipar a resposta: *A* corresponde a gastador, *B* corresponde a poupador e *C* corresponde a servo. Nosso palpite é que 99% das pessoas, se honestas, circularão uma maioria de respostas A ou B. Mesmo após nossa jornada, John tende para as respostas de poupador e Greg para as de gastador, mas permanecemos na luta contínua para desenvolver o coração de servo! Vamos lá:

1. O que o deixa mais empolgado?
   A. Férias de alto padrão pela Europa.
   B. Ultrapassar os depósitos esperados em todas as contas de aposentadoria ao longo do ano.
   C. Jantar com o pastor, que agradece de coração seu apoio sacrificial a um novo ministério extremamente relevante, iniciado com sucesso.

2. Qual era sua tendência quando criança em relação ao dinheiro que recebia?
   A. Comprar brinquedos novos ou gastar em experiências assim que o ganhava.
   B. Economizar em um cofrinho ou em uma poupança.
   C. Gastar com os outros ou doar para a igreja ou instituições de caridade.

3. Alguém lhe fala sobre um homem que, aos 70 anos, conseguiu administrar sua renda de classe média por meio de economias cuidadosas e conquistou um patrimônio líquido equivalente a 8 milhões de dólares. Seu primeiro pensamento seria:
   A. Que desperdício! Gastar teria sido bem mais divertido!
   B. Uau! Ele realmente conseguiu. Espero chegar a esse ponto também.
   C. Ele pode ter perdido oportunidades de desfrutar a alegria da generosidade.

4. Sucesso é...
   A. Aproveitar viagens e comida boa, receber amigos, dirigir um carro de luxo.
   B. Aposentar-se aos 50 anos.
   C. Aumentar a duração do empréstimo imobiliário e abrir mão de alguns luxos a fim de custear uma família de missionários.

5. Sua gratificação anual é o dobro do que você achou que seria. Qual é seu primeiro pensamento?
   A. Vou às compras ou sair de férias.
   B. Vou usar o valor para quitar parte do financiamento imobiliário.
   C. Graças a Deus por sua provisão! Mal posso esperar para doar uma parte!

6. Gastar para mim é:
   A. Natural: eu adoro!
   B. Incômodo: gostaria de poder gastar menos.
   C. Controlado: sinto-me bem acerca de como administro meus gastos.

128 DEUS E O DINHEIRO

7. Poupar para mim é:
   A. Incômodo: é um inconveniente que atrapalha a diversão.
   B. Natural: adoro acumular riqueza.
   C. Cheio de propósito: tenho objetivos sadios e razoáveis rumo aos quais tenho trabalhado com cuidado.

8. Doar para mim é:
   A. Obrigatório.
   B. Previsível.
   C. Transbordante de alegria.

Conte seus pontos! Quanto mais respostas direcionadas à mesma letra, mais você tem uma pista de para onde seu coração se inclina. Caso seja casado, pode ser interessante ver qual é a tendência de seu cônjuge e comparar as respostas — isso pode despertar um diálogo interessante em que se destaquem as origens de possíveis conflitos relativos a dinheiro. Não existe nada de errado em ter mentalidades financeiras opostas, mas saber que essa é a realidade pode ajudá-los a orar e trabalhar rumo ao necessário alinhamento das prioridades financeiras dentro do relacionamento conjugal. Trabalharem juntos para se tornarem servos cristãos pode ser um propósito unificador.

Com frequência, os gastadores e poupadores cristãos julgam de forma sutil e inconsciente quem possui a mentalidade oposta. Se eu tivesse conhecido Greg antes de Harvard, é possível que houvesse comentado com Megan, minha esposa, algo do tipo: "Esse cara é uma piada! Por que ele gasta todo o dinheiro que ganha? Eles tiram férias incríveis e gastam uma nota em jantares românticos, mas seu percentual de economia é pateticamente baixo. Vamos ver quem foi esperto quando estivermos aposentados daqui a vinte anos e ele ainda precisar trabalhar!".

Enquanto isso, Greg pensaria: "Por que John nunca gasta dinheiro? Ele é tão pão-duro! Nunca viaja com a esposa, nem a leva para bons restaurantes. Nós podemos morrer amanhã! Ele precisa aprender a aproveitar a vida um pouco mais!". Essas críticas, percebemos, erram totalmente o alvo!

Tanto Greg e a esposa, Alison, quanto eu e minha mulher, Megan, tínhamos vinte e poucos anos, ganhávamos um salário anual de seis dígitos e tínhamos muitos recursos "extras" para direcionar à obra do reino — caso nos sentíssemos empolgados em fazê-lo. O propósito mais elevado da riqueza, assim como o propósito mais elevado da nossa vida, não deve ser desfrutar o hoje ou encontrar segurança no amanhã, mas sim nos ajudar a glorificar a Deus e desfrutá-lo para sempre! Os servos sabem que necessitam de coisas hoje e também reconhecem que um dia precisarão se aposentar, mandar os filhos para a faculdade etc. Seu primeiro foco e objetivo, no entanto, é servir a Jesus com o dinheiro, e isso significa que suas decisões parecerão anormais tanto para os gastadores quanto para os poupadores.

Os ensinamentos modernos na área das finanças pessoais tendem a se encontrar em algum ponto da linha entre gastar e poupar, sem reconhecer o "terceiro eixo" do serviço. Nosso ambiente cultural considera a construção de riqueza uma atividade de importância central e digna de ser elogiada. O capitalismo foi construído com base no ímpeto elementar dentro do coração humano de adquirir cada vez mais.[1] A maioria das pessoas que se considera madura quanto ao dinheiro tem perfil poupador, gabando-se com orgulho de sua proeza em acumular riquezas (eu, John, estou falando de mim mesmo aqui!). Personalidades

---

[1] Adam Smith refletiu sobre esse comportamento propulsor por trás do sistema capitalista e sobre o vazio em que resulta essa busca cega por riquezas: "Ao longo de toda a vida, [o construtor de riquezas] persegue a ideia de certo repouso artificial e elegante no qual ele talvez jamais chegue e pelo qual sacrifica a tranquilidade verdadeira que se encontra o tempo inteiro a sua disposição. [...] [Ele] começa afinal a descobrir que a riqueza e a grandeza são meras bugigangas de utilidade frívola" (Adam Smith, "Theory of Moral Sentiments" (1759, 1981), IV, I).

influentes como Dave Ramsey incentivam as pessoas a definir percentuais para o dinheiro, no espírito de economizar, com o objetivo final de aumentar a riqueza.[2] Doar com generosidade talvez seja incentivado como um componente de um plano geral, mas a edificação do reino de Deus neste mundo não costuma ser defendida de forma clara como o propósito central do dinheiro. Em vez disso, o legado familiar e a liberdade pessoal que acompanham a riqueza parecem ser os objetivos centrais. Embora nós, cristãos, de fato sejamos livres, somos livres somente com o propósito de nos tornarmos servos de Cristo (1Pe 2.16). Queremos desafiar a estrutura moderna vigente para pensar sobre o propósito do dinheiro na vida.

Pense como servo

Ron Blue, pioneiro no aconselhamento financeiro cristão, conta a história de um casal que o procurou e ganhava 85 mil dólares por ano. Ele os desafiou a doar 1 milhão de dólares ao longo da vida — e os dois acharam que Blue era maluco! Mas não conseguiram deixar de pensar no assunto. Quando Ron os encontrou décadas depois, contaram empolgados que haviam de fato doado 1 milhão... multiplicado por três! Havia se tornado bem

---

[2] Em seu livro mais recente, *The Legacy Journey: A Radical View of Biblical Wealth and Generosity* (Brentwood, TN: Ramsey, 2014), Ramsey se refere ao acúmulo de riquezas como "vencer" (p. 13, 59) e explica como convenceu um jogador profissional de futebol americano de que gastar 100 mil dólares por ano era pouco demais e que, em vez disso, ele deveria gastar mais de 800 mil consigo mesmo, em vez de doar de maneira mais arrojada (p. 80-82). Ramsay também relata o momento em que, quando comprava um Jaguar, separou um momento para pensar "em todas as crianças famintas do mundo", mas então alega que, enquanto preenchia o cheque, Deus estava sorrindo para ele lá do céu (p. 3). Chega a argumentar que seus filhos provavelmente saberão administrar o dinheiro melhor que qualquer instituição de caridade para a qual você escolha doar. Existem alguns ensinos valiosos no livro, mas nós também encontramos, de uma perspectiva bíblica, muito com que discordar de seu autor.

mais divertido calcular a soma de doações do que o patrimônio líquido. Quando a mentalidade deles mudou e se apegaram a uma meta, começaram a doar de maneira bem mais arrojada.

Os próximos capítulos visam articular como o servo pensa sobre gastar, poupar e servir. Nenhuma de nossas recomendações específicas têm a intenção de ser obrigações legalistas — não queremos nos tornar fariseus e acrescentar regras à lei. Em vez disso, elas consistem apenas em nosso método para trabalhar os princípios das Escrituras de forma prática, com base no que vimos funcionar em nossos estudos de caso. É possível que haja outras excelentes maneiras de trilhar a vida para um cristão abastado, mas essa é a nossa melhor tentativa.

Embora reconheçamos que existe espaço para discordar das táticas para ser um servo, queremos permanecer firmes e afirmar que todos os cristãos fiéis *devem ser servos* a fim de ter uma vida coerente com as Escrituras. Não podemos afirmar que vivemos em total acordo com a Palavra de Deus quando permitimos que a mentalidade de gastador ou poupador controle nossas ações! Para reiterar, os servos necessariamente gastam dinheiro consigo mesmos e economizam para necessidades futuras, mas apenas na medida em que que isso traz honra e glória a Deus. O objetivo final da riqueza do servo deve ser a glória de Deus, compatível com as Escrituras, não o prazer presente ou o acúmulo de riquezas futuras.

A fim de demonstrar a insuficiência da mentalidade de poupador, incentivada pelos ensinamentos modernos de finanças pessoais, apresentamos uma paráfrase da parábola do rico insensato (Lc 12.13-21), em que substituímos os símbolos antigos de riqueza por outros mais contemporâneos.

Alguém em meio à multidão lhe disse: "Mestre, diga a meu patrão que me pague a gratificação por desempenho de fim de ano que ele prometeu".

Ele, porém, respondeu: "Homem, quem me fez juiz ou árbitro sobre vocês?". Em seguida, disse: "Tomem cuidado e vigiem contra toda cobiça, pois a vida não consiste na abundância de seus bens". Então lhes contou uma parábola, dizendo: "As ações pertencentes a um gerente foram investidas após uma grande subida no preço das ações, e ele pensou consigo: 'O que fazer, se já economizei o suficiente para pagar o estudo universitário dos meus filhos, minha casa está quitada e já investi o máximo em meu fundo de aposentadoria?'. Ele disse: 'Farei o seguinte: abrirei uma conta de investimentos e criarei uma carteira de renda passiva, abrindo um leque de opções para colocar o dinheiro. E direi para minha alma: Você tem investimentos suficientes para ter independência financeira. Aposente-se jovem, planeje férias, jogue golfe'.

"Mas Deus lhe disse: 'Louco! Esta noite pedirão a sua alma, e de que lhe valerá a carteira de ações que você criou?' Assim é aquele que aumenta o patrimônio líquido sem limites, mas não é rico para com Deus".

O rico insensato é aquele que deposita sua esperança de segurança e conforto nas riquezas, em vez de confiar no Deus que as provê com generosidade. É aquele que encontra seu valor pessoal embrulhado no patrimônio líquido. John estava no processo de se tornar um rico insensato quando começamos este projeto.[3]

---

[3] O patrimônio líquido do rico insensato, de acordo com nossas melhores estimativas, provavelmente não passava de algumas centenas de milhares de dólares. De acordo com a obra de Thomas Piketty, *O capital no século XXI*, a nobreza rica do mundo antigo costumava ter uma renda de vinte a trinta vezes maior que a de um trabalhador, obtida por meio da posse de capital, com uma taxa de retorno de aproximadamente 5%. Levando em conta a renda modesta dos trabalhadores do Oriente Próximo antigo, isso quer dizer que a renda anual do rico insensato era de cerca de 10 a 20 mil dólares por ano, e seu patrimônio líquido giraria em torno de 200 a 400 mil. Sinto-me envergonhado ao perceber que minha casa de quatro quartos em um bairro residencial possa valer mais que todo o patrimônio do rico insensato.

A mentalidade de esbanjador, com o foco em coisas materiais, também é repreendida nas Escrituras. Na parábola do semeador, Jesus explica que existem quatro tipos diferentes de pessoas que ouvem suas palavras. O primeiro não entende e o segundo cai quando testado com provas. O quarto tipo é o solo que Jesus procura, pessoas que o recebem com alegria e multiplicam seu impacto trinta, sessenta ou cem vezes mais. Não queremos todos a vida centuplicada? No entanto, a mentalidade de esbanjador pode nos condenar a nos tornar o terceiro tipo de solo. Jesus o descreve: "As que caíram entre os espinhos representam outros que ouvem a mensagem, mas logo ela é sufocada pelas preocupações desta vida e pela sedução da riqueza, de modo que não produzem fruto" (Mt 13.22). Deu para entender? Basicamente, o que Jesus disse foi o seguinte: "Alguns de vocês ouvirão minhas palavras, mas estarão distraídos, correndo atrás de um estilo de vida mais sofisticado. Serão sufocados por questões financeiras e não produzirão fruto algum". Greg estava no processo de se tornar o terceiro tipo de solo quando nossa jornada começou, mas agora tem começado a olhar mais para Jesus que para as regalias das pessoas com quem convive.

Com essas parábolas, Jesus chama a atenção para defeitos fatais que podemos demonstrar em relação ao dinheiro quando somos poupadores ou gastadores. Se nossa mentalidade nos leva a crer que podemos ficar seguros e encontrar satisfação por meio do aumento da riqueza, ele nos chama de loucos. Se nossa mentalidade nos leva a nos distrair com as conquistas que o dinheiro torna possível, pensando que a felicidade está a uma compra de distância, ele nos chama de infrutíferos. De todo modo, erramos o alvo. O poupador John e o gastador Greg convidamos você a nos acompanhar à medida que analisamos como os servos podem ter uma vida mais frutífera para Cristo.

Antes de passar adiante e apresentar nossa estrutura, queremos reconhecer que cada circunstância é única e que sempre existem diversas exceções. Há, porém, pontos em comum

134 DEUS E O DINHEIRO

suficientes em nossa vida moderna para que consigamos chegar a conclusões úteis e genéricas acerca das finanças pessoais.

A estrutura que se segue representa uma tentativa de elaborar um guia prático e factível de riqueza e doação para o cristão moderno, baseado nos três tipos de mentalidade financeira. Temos a consciência de que sempre existem nuances, casos excepcionais e fatores complicadores. Fizemos o máximo para incorporar tais elementos. Para tudo aquilo que deixamos de abordar, os princípios das Escrituras podem guiar a inclusão das complexidades adicionais das circunstâncias de cada um. O sistema que propomos é arrojado no que diz respeito às tendências de doação de recursos dentro da igreja. Cremos que esse arrojo reflete o verdadeiro chamado de Jesus a seus seguidores. Ele combina uma compreensão moderna das finanças pessoais e do planejamento de riquezas com verdades e exortações milenares da fé cristã, tudo com o objetivo de apresentar aos cristãos uma nova forma de pensar sistematicamente sobre seu papel como mordomos da riqueza neste mundo.

Mapa do dinheiro

Deus nos delegou controle terreno absoluto (mordomia) sobre como alocamos os recursos financeiros que chegam até nós. Em última análise, contudo, tais recursos pertencem a Deus. Assim, nosso alto grau de controle é acompanhado por uma grande responsabilidade. Nosso desejo é apresentar ferramentas que ajudem nas múltiplas decisões de alocação da renda que o indivíduo enfrentará. A primeira decisão de alocação diz respeito ao consumo: "Quanto de minha renda deve ser destinado a gastar?". A segunda está ligada ao acúmulo de riquezas: "Levando em conta os recursos que não gastei, quanto devo doar e quanto devo poupar?".[4] Essas são as duas perguntas básicas que fundamentam nossa análise.

---

[4] Reconhecemos que, com frequência, o ensino cristão se concentra em dar as primícias para o Senhor e depois consumir o que sobra. Concordamos com

Figura 1: A decisão de alocação de recursos: três mentalidades financeiras

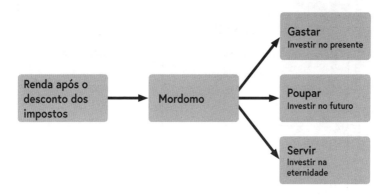

Falaremos de cada pilar da estrutura financeira GPS — gastar, poupar e servir — ao longo dos próximos três capítulos. Antes de mergulhar fundo, porém, apresentamos a seguir um diagrama que representa, a nosso ver, como o servo aborda a difícil decisão de alocar recursos financeiros. É assim que os servos estudados por nós enxergam o mundo do dinheiro. (Os leitores que cursaram administração ou trabalharam com consultores de gerenciamento logo reconhecerão que se trata de uma matriz 2x2. Seria trágico para dois formados no MBA de Harvard escrever um livro sem uma 2x2, então aqui vai a Figura 2: Mapa financeiro do servo).

---

esse ponto de vista e o endossamos. Acreditamos, porém, que começar com o consumo chega mais rápido ao cerne da origem de nossos problemas financeiros na cultura consumista em que vivemos. Na vida cotidiana, cremos que a doação deve, de fato, vir primeiro. Conforme vimos no capítulo anterior, doar é um ato de importância crítica para todos. Contudo, no modo de pensar apresentado em nossa estrutura, queremos começar avaliando com cuidado a decisão de consumir, que permitirá o desenvolvimento de uma doação generosa de maneira mais holística.

Figura 2: Mapa financeiro do servo

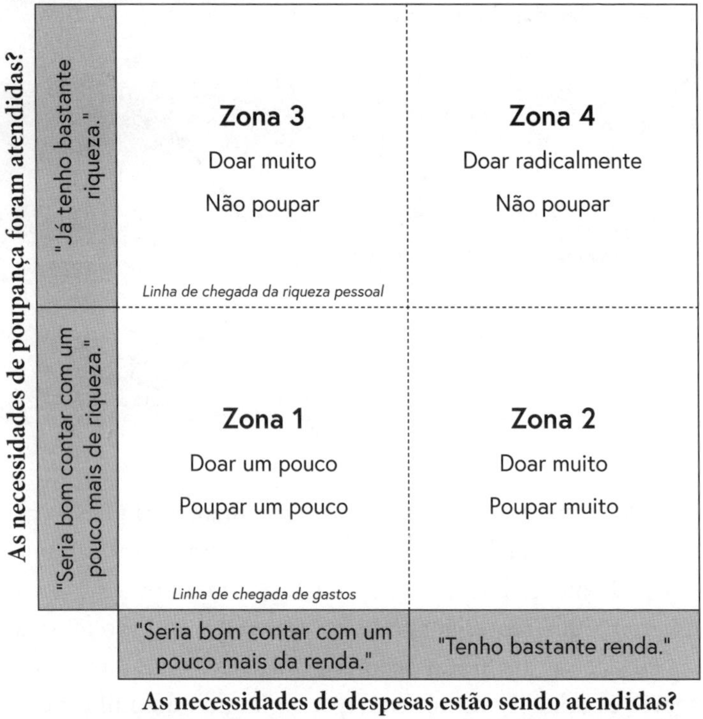

	As necessidades de despesas estão sendo atendidas?	
As necessidades de poupança foram atendidas? "Já tenho bastante riqueza."	**Zona 3** Doar muito Não poupar *Linha de chegada da riqueza pessoal*	**Zona 4** Doar radicalmente Não poupar
"Seria bom contar com um pouco mais de riqueza."	**Zona 1** Doar um pouco Poupar um pouco *Linha de chegada de gastos*	**Zona 2** Doar muito Poupar muito
	"Seria bom contar com um pouco mais da renda."	"Tenho bastante renda."

Cada zona do diagrama representa uma possível condição na vida do servo. As quatro zonas são delineadas por suas necessidades de gastos e de economia. No que diz respeito aos gastos, se o servo sente que as necessidades legítimas e os desejos saudáveis de sua família não são totalmente atendidos por sua renda, pende para o lado esquerdo: "Seria bom contar com um pouco mais da renda". Caso perceba que tem o suficiente e que sua renda é copiosa, pende para o lado direito: "Tenho bastante renda". A mesma lógica se aplica à economia para o patrimônio líquido. Se a família precisa quitar um financiamento imobiliário, poupar para a aposentadoria etc., o mais provável é sentir: "Seria bom contar com um pouco mais de riqueza". Caso já tenham cuidado de todas as necessidades financeiras no longo prazo, eles já têm "bastante riqueza".

- A *zona 1* representa a situação na qual o servo necessita de mais renda e riqueza. Tanto doar quanto poupar têm importância fundamental, então ele se esforça para fazer um pouco de cada, mas é necessário esforço e planejamento para obter sucesso.
- Na *zona 2*, a renda é suficiente, mas ainda é necessário construir a riqueza. O servo fiel nesta zona equilibra tanto as doações quanto os recursos destinados à economia.
- Na *zona 3*, a riqueza elevada é misturada a uma baixa renda (pense no aposentado ou empreendedor rico com pouca liquidez). Não há necessidade de poupar, porém a capacidade de doar é prejudicada pela limitação de liquidez.
- Na *zona 4*, todas as necessidades financeiras foram atendidas, permitindo ao servo que doe com liberdade extraordinária.

É na zona 1 que a maioria das pessoas começa e passa boa parte da vida. Com empréstimos estudantis e recebendo o piso salarial, a maioria das pessoas, sem dúvida, ficaria feliz em contar com um pouco mais de renda e riqueza na vida. Não há nada de profano nisso, e os servos reconhecem as próprias necessidades de provisão.

No entanto, independentemente da zona em que se encontrem, os servos aguardam com expectativa o dia em que chegarão à zona 4, para começar uma jornada de doação extravagante, permitida pela compreensão de que foi Deus quem lhes deu suficiência financeira na vida. Seu maior objetivo, em vez de acumular mais riqueza ou melhorar o padrão de vida, é doar para a obra do Senhor.

Os esbanjadores nunca chegam à zona 4 — para eles, ela não existe. Não há para essas pessoas o conceito de "tenho bastante

138   DEUS E O DINHEIRO

renda", pois elas dão um jeito de gastar cada ganho adicional que entre. Tampouco os poupadores chegam à zona 4, pois "seria bom contar com um pouco mais de riqueza" é o clamor incessante de seu coração, não importa se tenham juntado mil dólares ou 1 milhão. Para o servo, porém, a vida financeira consiste em uma navegação cuidadosa rumo a um objetivo claro: dar glória a Deus com a riqueza que ele provê.

Alguns servos passam a vida inteira na zona 1. Não há nada de errado com isso, com base no que aprendemos ao ler as Escrituras. Para o servo que vive com responsabilidade, mas não se encontra na posição de construir riquezas significativas ou ganhar uma renda elevada, é importante lembrar que patrimônio líquido não corresponde a valor pessoal. Aos olhos de Deus, a doação fiel de 5%, 10% ou 15% da renda que alguém que esteja na zona 1 apresenta de forma consistente pode ter mais valor que os 50% de doação de outro servo que foi abençoado o suficiente para alcançar a zona 4. Não estamos em posição de fazer esse julgamento. Sem dúvida, tal doação tem mais valor para Deus que o dízimo que Greg e eu entregávamos pelos motivos errados antes de estudar em Harvard (quando estávamos na zona 2). O maior interesse do Senhor se encontra na mentalidade, não no dinheiro.

Imagine agora em que zona você se encontra atualmente e pense nos desdobramentos disso para sua mordomia. John aceitou o chamado para trabalhar no ministério em tempo integral após concluir a pós-graduação e chega modestamente ao território de "renda anual de seis dígitos", vivendo hoje na zona 1. Ele dirige carros mais velhos, adquiriu uma casa em uma região residencial mais distante, não em um bairro da moda dentro da cidade, e compra móveis de lojas populares. Isso permite que sua família poupe e doe ao mesmo tempo que desfruta a provisão de Deus nesta fase da vida. Greg tem uma renda excelente, de aproximadamente 200 mil dólares (e algumas vantagens com as grandes bonificações que recebe), mas também tem muitos empréstimos estudantis para quitar e uma família em crescimento. Tudo isso significa que ele está na zona 2, doando com generosidade e poupando para atender às necessidades legítimas de sua família. Nós dois temos nos esforçado para equilibrar doação e economia, confiando no Senhor ao mesmo tempo que proporcionamos o bem para nossa família.

Nos capítulos a seguir, investigaremos como podemos pensar de maneira mais específica em estabelecer pontos de corte para cada limite de zona, as "linhas de chegada" estabelecidas no mapa financeiro do servo. Com essa estrutura em mente, passaremos para a primeira grande decisão que o servo deve tomar: quanto gastar.

> **De olho nos detalhes...**
>
> Assim que terminou os estudos universitários, Graham Smith foi trabalhar no mercado de ações na Wall Street com o plano de doar 90% de sua renda — totalmente a serviço de Jesus. Ele queria viver na zona 4 desde o início! Conheceu na cidade a esposa April, que havia acabado de terminar seu MBA e compartilhava do desejo de se doar para o reino de Deus. Confira a história extraordinária desse casal — um belo vislumbre do coração de dois servos — no vídeo de sete minutos de duração "Graham and April Smith", em <GodandMoney.net/resources>.

6

GASTAR: INVESTIMENTO NO PRESENTE

*Recomendo, portanto, que as pessoas aproveitem a vida,
pois a melhor coisa a fazer neste mundo é comer, beber
e alegrar-se. Assim, terão algo que os acompanhe em
todo o árduo trabalho que Deus lhes dá debaixo do sol.*
ECLESIASTES 8.15

*Quer saber quais são as sete palavras mais incômodas
do vocabulário cristão? "Aprendi a estar satisfeito em
qualquer circunstância."*
JEFF MANION

O primeiro pilar que investigaremos são os gastos. Brett e Christy Samuels, de Atlanta, Georgia, representam um excelente estudo de caso. No início de 2012, eles deram um salto de fé. Como recém-casados, estavam desfrutando grande prosperidade. Brett havia conseguido um emprego como gerente geral de uma empresa de consultoria após a formatura e ganhava bem mais de 100 mil dólares por ano, ao passo que Christy recebia mais 22 mil em seu papel de ministrar a crianças em uma igreja local. Eles pareciam viver de acordo com suas expectativas para o que uma vida próspera deveria ser. Quando Brett era criança, sua família sempre teve dinheiro suficiente para não ter um orçamento ou se preocupar com o destino de cada dólar, e ele se sentia bem por estar no mesmo barco agora, mesmo antes de completar três décadas de vida. Christy havia herdado uma ansiedade profunda acerca do dinheiro por causa de seu passado, lutando contra a mentalidade de escassez que pode levar a pessoa a se tornar poupadora. Como eles conseguiam guardar 5 mil dólares por mês na poupança, a vida financeira lhes parecia estável e previsível.

Até aquele momento. Brett estava prestes a deixar o emprego na área de consultoria para montar uma empresa ligada a algumas patentes criadas por seu avô. As tecnologias eram úteis, mas nunca haviam sido comercializadas. Brett tinha certeza de que era o homem certo para fazer isso. Ao empreender esse novo desafio, o casal Samuels precisaria cortar drasticamente o orçamento. Por um período indefinido, Brett não receberia um salário regular, por estar à frente de uma nova *start-up*. Isso transformava o contracheque menor de Christy na única renda estável. Pagar todas as contas e despesas do mês não seria mais tão automático.

Depois de definir em oração o que chamaram de orçamento "vital", o casal começou sua nova jornada. Reconhecendo que precisariam cortar os gastos pela metade, seu objetivo era eliminar o desperdício e aumentar a intencionalidade de cada despesa. Eles queriam que os gastos que permanecessem fossem biblicamente fundamentados, honrassem a Deus e permitissem que aproveitassem a vida ao máximo. Quando pedimos um exemplo, eles citaram o corte de cabelo. "Como vocês categorizam cortar o cabelo com um profissional? Para nós, era um luxo do qual podíamos abrir mão. Para algumas pessoas que conhecemos, trata-se de um item inegociável que entra na categoria de 'cuidado pessoal.'" Segundo Christy, é importante priorizar o que importa de verdade, em lugar daquilo que parece necessário, mas, de fato, não é.

Em 2012 e 2013, Brett e Christy gastaram menos de 45 mil dólares, uma redução drástica em relação ao estilo de vida anterior. Ao refletir sobre isso, ambos falam com a confiança serena e firme que só a experiência pode dar. Eles se explicam de forma reflexiva e articulada. Sua lógica e paixão constantes para descobrir como honrar a Deus com seus gastos nos deixou profundamente inspirados.

Christy prosseguiu: "Todos os gastos devem ser vitais, com base na perspectiva bíblica, então nós cortamos as despesas fixas com consumo de cultura. Não é o dinheiro em si que importa, mas sim o *consumo*. É extra, é demais. Nossa vida não é materialmente diferente, mesmo gastando metade do que costumávamos gastar. O que está faltando agora? Compras aleatórias em grandes lojas de departamento? Nem sentimos falta! O véu foi tirado dos nossos olhos e enxergamos a mentira que diz: 'Você precisa de mais! Você precisa de mais!'. Quando a gente reconhece que pode fazer o que deve com menos, a mentira é esmagada. Ao sair desse meio, a gente começa a desgostar da cultura consumista".

O casal sentiu tamanha liberdade com essa experiência que tem a intenção de continuar a viver dessa maneira, mesmo que a renda familiar aumente no futuro. A empresa de Brett está indo bem, mas sempre há certa incerteza quando se gerencia um novo negócio. Eles não veem motivo para aumentar as despesas, ainda que isso já seja possível agora. Quando compartilhamos parte da história de Denise Whitfield com o casal, eles refletiram que também haviam passado pela mudança de uma mentalidade de escassez para a mentalidade de fartura quando foram forçados a cortar os gastos. Brett explica: "Não queremos ser o tipo de gente que ganha quanto quer só para gastar a torto e a direito".

Christy acrescenta: "O mais importante não é a felicidade, mas sim a santidade. Aprendemos muito sobre a soberania de Deus, que transformou toda a nossa visão de mundo. Não poder comprar supérfluos no supermercado ou em restaurantes me fez perceber que realmente eu pouco precisava dessas coisas".

A nova perspectiva do casal acerca do dinheiro foi provada quando a família cresceu, com o nascimento de sua bebezinha. A mentalidade de servo pareceu reagir à nova realidade com segurança, confiança e maturidade. Embora a média de gastos tenha subido de 45 mil dólares por ano para 60 mil (em grande parte por causa da despesa fixa de 12 mil dólares com creche), eles não sentem a necessidade de gastar em excesso com a filha, apesar de terem condições de fazê-lo cada vez mais. "Precisamos entender que o melhor para nossa filha pode não ser mais prosperidade material. O Senhor sabe do que ela necessita, e ela pertence mais a ele do que a nós. A melhor coisa para ela é não viver em uma bolha de riqueza."

Essa perspectiva, partindo de um casal jovem, nos lembrou do comentário feito por alguém que conhecemos e que trabalhou com muitas famílias ricas ao longo das últimas décadas, segundo o qual "a melhor maneira de criar um filho é dentro da classe média, com uma renda de mais ou menos 50 mil a 250 mil dólares. Há problemas que ficam maiores e mais difíceis de resolver conforme se sai dessa faixa. Toda família rica acha que eles são os únicos que podem ser diferentes, mas a realidade costuma ser decepcionante".

Estrutura de gastos

A história de Brett e Christy Samuels é uma boa demonstração de como uma família seguiu a máxima das finanças pessoais de "gastar menos do que se ganha" em várias fases da vida. No entanto, a grande sabedoria que demonstraram consiste em *como* viveram com menos do que ganhavam: com alegria, intencionalidade e confiança no Senhor. Nem é preciso dizer que, se não controlarmos nossos gastos, poupar e doar simplesmente não será possível em uma esfera significativa.

A pessoa que gasta toda a renda sem possuir uma poupança para emergências terá dificuldades em pagar os estudos universitários e o casamento dos filhos, não terá condições de doar com generosidade e poderá ter problemas para se aposentar quando envelhecer. Em contrapartida, quem vive com mais economia, poupando e doando com assiduidade, acumula tesouros no céu ao mesmo tempo que provê com responsabilidade para sua família aqui neste mundo. Uma atitude apropriada em relação ao consumo, portanto, é um pré-requisito para uma atitude apropriada em relação à doação. Sem ter a mentalidade de gastar bem, ficaremos eternamente tolhidos como doadores. Precisamos superar o esbanjador dentro de nós a fim de nos tornarmos servos de Cristo.

A fim de pensar com maior profundidade acerca de gastos, comecemos com o extremo mais baixo do espectro. A falta de renda cria problemas óbvios para gastar, poupar e servir. É extremamente difícil sobreviver abaixo de um nível de renda que garanta o sustento básico. Abaixo desse nível, as trocas necessárias são de dar nó no estômago: comida para o jantar ou remédio para o filho doente? De fato, uma pesquisa recente chegou a descobrir que a doação de dinheiro para famílias pobres pode alterar drasticamente o rumo da vida de uma criança para melhor em caráter permanente. Para essas famílias, gastar não tem a ver com materialismo, mas com sustento e manutenção básicos.[1] Logo, é provável que muitos cristãos da classe operária não consigam poupar, nem doar em grande medida, porque simplesmente não têm margem suficiente para tal.

A despeito da realidade clara de que as famílias de baixa renda podem acabar gastando com facilidade tudo o que ganham em bens e serviços de necessidade básica, alocar uma parte para economia e doação continua a ser uma escolha sábia. Mesmo aqueles que vivem com um dólar por dia em nações em desenvolvimento costumam escolher sabiamente poupar cinco ou dez centavos por dia para emergências ou despesas futuras.[2] E, de maneira semelhante, nossa pesquisa sobre a sociologia da doação nos mostrou que doar é fundamental para todos, mesmo para quem tem recursos muito modestos. Conforme abordamos

---

[1] National Bureau of Economic Research, <http://www.nber.org/papers/w21562.pdf>. Acesso em 27 de maio de 2019.

[2] Você pode pesquisar na internet sobre "fundo rotativo solidário e associações de crédito" para aprender como indivíduos das nações mais pobres do mundo conseguem poupar, mesmo sem acesso a uma conta bancária formal.

GASTAR: INVESTIMENTO NO PRESENTE **145**

no capítulo 3, doar ativa a iniciativa humana e um conjunto saudável de processos mentais associados à mentalidade de fartura.

A generosidade fiel e radical e os padrões de gastos dependem de cada caso e não podem ser determinados apenas ao se olhar para percentuais financeiros. É possível que uma família com renda de 30 mil dólares por ano, contando centavos a fim de doar 5% e economizar 5%, seja mais fiel ao evangelho do que alguém como eu, que ganhava seis dígitos antes do MBA e dava o dízimo no piloto automático, sem jamais sentir de verdade o impacto da doação. Mesmo que, neste exemplo, a família de baixa renda dê uma porcentagem menor, ela pode estar "de acordo com a sua renda" (1Co 16.2, NVI), representando um sacrifício verdadeiro de necessidades a fim de poder doar. Se essa família recebesse 40 mil dólares no ano seguinte, seus ganhos poderiam ser consumidos em grande parte com gastos com uma casa mais segura, uma alimentação de melhor qualidade, materiais escolares e outras necessidades, por isso qualquer doação adicional que decidam fazer é tanto sábia quanto louvável do ponto de vista bíblico. Em contrapartida, se eu ganhasse 10 mil dólares extras em minha bonificação anual e doasse tudo, nem me faria falta! Logo, o "ímpeto" de gastar costuma depender do nível de renda absoluta. Para essa família hipotética e milhões de outras em nossa sociedade, quaisquer recursos adicionais tendem a ser alocados, em sua maior parte, para atender às necessidades mais prementes. Doar torna-se um ato de amor e sacrifício. (Um rico seguir esse exemplo parece tão difícil quanto um camelo passar pelo buraco de uma agulha [Mt 19.24].)

À medida que o orçamento para gastos aumenta, as necessidades de alto nível começam a ser atendidas. Para quem recebe pouco, o dinheiro destinado com sabedoria é gasto imediatamente em necessidades físicas como saúde e comida. Em se tratando de salários médios, segurança e estabilidade ganham destaque. No centro das atenções estão objetivos como melhor moradia, educação continuada ou crescimento profissional. Quando os gastos sobem de patamar, o foco se dirige para a dignidade e a cultura humana. As despesas extras vão para viagens, educação e entretenimento. A Figura 3 é uma tentativa de correlacionar aproximadamente os diferentes níveis de gastos com a hierarquia de necessidades de Maslow,[3] ilustrando esse princípio para uma família de quatro pessoas em uma típica cidade norte-americana. Isso não significa sugerir que todas as necessidades humanas podem ser atendidas com dinheiro, mas é bastante indicativo das amplas preocupações financeiras daqueles que se encontram em cada faixa orçamentária.[4]

Figura 3: Mapa do orçamento anual de gastos para a hierarquia de necessidades de Maslow para família norte-americana de quatro pessoas

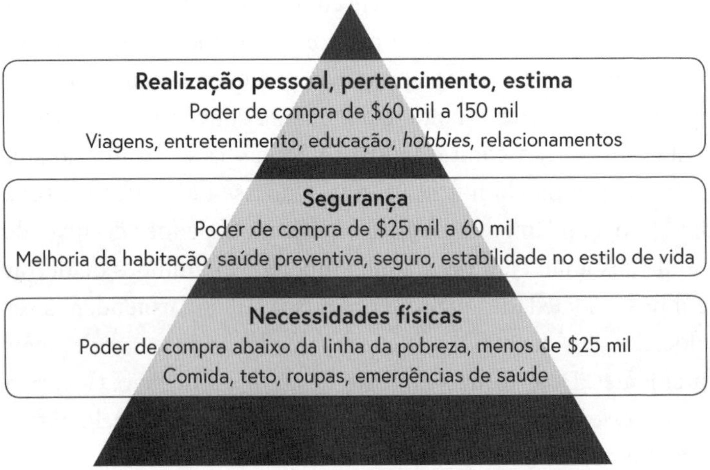

Realização pessoal, pertencimento, estima
Poder de compra de $60 mil a 150 mil
Viagens, entretenimento, educação, *hobbies*, relacionamentos

Segurança
Poder de compra de $25 mil a 60 mil
Melhoria da habitação, saúde preventiva, seguro, estabilidade no estilo de vida

Necessidades físicas
Poder de compra abaixo da linha da pobreza, menos de $25 mil
Comida, teto, roupas, emergências de saúde

[3] Saul McLeod, "Maslow's Hierarchy of Needs", <http://www.simplypsychology.org/maslow.html>. Acesso em 27 de maio de 2019.
[4] Os números selecionados nesta tabela se encontram em dólares, ano de 2016. Para fins de referência, 25 mil é a linha da pobreza ou cerca de metade da renda familiar média de 50 mil. A quantia de 150 mil corresponde ao triplo da renda familiar média.

GASTAR: INVESTIMENTO NO PRESENTE **147**

Claro que se trata de uma simplificação excessiva, mas esperamos que ela seja útil. Em primeiro lugar, os números precisam ser ajustados para outros tamanhos de família. Além disso, algumas cidades são mais caras que outras — 150 mil dólares em uma cidade média equivale a 135 mil em Nebraska, mas a 300 mil ou mais em San Francisco ou Nova York, com base nas diferenças de custo de vida.

De modo geral, porém, esse gráfico serve para ilustrar a relativa facilidade ou dificuldade que as pessoas podem ter ao decidir poupar ou doar sua renda. Uma figura semelhante poderia ser criada para a situação única de cada família. Para quem luta para atender a necessidades físicas, a decisão de poupar ou doar, em vez de consumir, tem impacto pessoal imenso. Contudo, para o profissional com orçamento de 150 mil dólares, a decisão de poupar ou doar pode apenas exigir a escolha de adiar para o ano seguinte a instalação de uma nova piscina . Trata-se de um sacrifício bem mais fácil de fazer. E, para uns poucos afortunados, a decisão de poupar ou doar pode simplesmente vir com naturalidade, uma vez que a família gasta tudo o que deseja de modo razoável e tem muito de sobra ao final do ano.

Vale a pena destacar que a Figura 3 tem raízes no pensamento estabelecido tanto da tradição cristã quanto secular. Com base no ponto de vista cristão, o papa João Paulo II escreveu sobre a diferença entre "ter" e "ser" ao discorrer sobre como essas ideias estão ligadas a nossos padrões de consumo.[5] Quando as coisas se tornam um fim em si mesmas em nossa sociedade consumista, isso contraria o entendimento cristão do mundo. Ter posses "não aperfeiçoa em si mesmo o sujeito humano, a menos que elas contribuam para o amadurecimento e enriquecimento do 'ser' de tal

---

[5] Papa João Paulo II, *Solicitudo Rei Socialis*, <http://w2.vatican.va/content/john-paul-ii/pt/encyclicals/documents/hf_jp-ii_enc_30121987_sollicitudo-rei-socialis.html>. Acesso em 27 de maio de 2019.

148 DEUS E O DINHEIRO

sujeito, ou seja, a menos que contribua para a percepção de qual é sua vocação humana".[6] A hierarquia de Maslow corresponde aproximadamente ao gasto sábio de recursos para a realização humana, ao passo que despesas desprovidas de sabedoria, caracterizadas pelo consumismo contumaz, podem resultar em vazio.

Vemos com frequência a corrupção dos padrões de consumo tanto em famílias de alta quanto de baixa renda — gastos que se concentram em "ter" itens que gratificam o orgulho humano, mas não aumentam nossa capacidade de cumprir nosso chamado na vida. As famílias de recursos modestos podem exceder o nível sensato de despesas para adquirir um bom carro ou ter o hábito de esbanjar no *shopping* ou com itens de marca. Trata-se de uma falha em consumir com sabedoria, que acaba atrapalhando a habilidade de poupar com sabedoria. De maneira semelhante, famílias mais abastadas às vezes gastam nas próprias versões de símbolos de *status*, como uma casa no bairro mais chique da cidade ou a cota no clube local de elite, em vez de usar seus recursos para abençoar os outros por meio da hospitalidade, desfrutar a riqueza do mundo por meio de viagens e cultura ou aproveitar experiências compartilhadas com amigos e familiares. Esses dois exemplos envolvem o uso de posses materiais para sinalizar aos outros nossa proeminência, um ato que se origina do orgulho ou do senso de importância pessoal. O apóstolo Paulo adverte de forma consistente e vigorosa contra essa conduta em suas cartas.[7]

Da perspectiva secular, os professores Michael Norton e Elizabeth Dunn escrevem, em *Happy Money*,[8] que gastar com experiências e com outras pessoas traz felicidade mais duradoura que gastar com bens materiais. Conforme explicou um de nossos

[6] Idem.
[7] David Kotter, "Working for the Glory of God", tese de doutorado no Southern Baptist Theological Seminary, 2015, p. 88.
[8] Dunn e Norton, *Happy Money*.

GASTAR: INVESTIMENTO NO PRESENTE **149**

entrevistados, "[gastar com] experiências, a comunidade e viagem, mais que em posses ou em uma casa sofisticada, é uma decisão que, olhando em retrospecto, nos sentimos bem por ter tomado". No que diz respeito a casas chiques e outros bens, nós dois (John e Greg) admitimos um para o outro que pensávamos em adquirir uma casa de cerca de 2 milhões de dólares antes de iniciar este projeto, uma representação de nosso desejo por *status* e exibição orgulhosa do poder de compra da família, em lugar de apenas suprir a necessidade física de colocar um teto sobre a cabeça, objetivo que pode ser alcançado por um valor bem menor.

Brandon Fremont nos explicou que ele mantém uma lista ativa de "possíveis cortes no orçamento" o tempo inteiro em seu iPhone. Periodicamente, dá uma olhada na lista e faz um corte, relatando que, em geral, não faz tanta diferença quanto ele imagina. Um cuidado tão ativo com o orçamento de gastos é uma inspiração para nós e provavelmente a melhor prática para identificar despesas que de fato são vitais, em lugar de confortos desnecessários que não acrescentam tanto valor.

Fica claro que, seguindo a estrutura estabelecida por João Paulo II, gastos elevados com bens materiais viola princípios empiricamente verificados em *Happy Money* e falha em melhorar o senso humano de "ser". Ele identifica tais despesas como "superdesenvolvimento", contrastando como um espelho com a tragédia do subdesenvolvimento dos pobres. (Conforme diz Provérbios 30.8, "não me dês nem pobreza nem riqueza".) Qualquer pessoa familiarizada com a obra clássica *O milionário mora ao lado*[9] pode se lembrar de imediato do dr. South, o neurocirurgião descrito no livro, cuja família gasta toda a renda de 700 mil dólares, com 104 mil destinados alocados na hipoteca e 30 mil gastos somente em roupas. Ficamos imaginando o que ele diria

---

[9] Thomas Stanley e William Danko, *O milionário mora ao lado: Os surpreendentes segredos dos ricaços americanos* (São Paulo: Manole, 1999).

150 DEUS E O DINHEIRO

caso ouvisse a família Samuels contar sua história. A renda adequadamente gasta traz satisfação humana e alegria, a ponto de conseguirmos trilhar por completo o caminho de nosso chamado nesta vida. Quando vai além desse ponto, o consumo se torna um desperdício, uma apropriação indevida e uma bofetada na cara dos pobres de quem Deus nos chama para cuidar. Logo, o aumento do poder de compra não significa necessariamente realização pessoal. Em vez disso, um elevado poder de compra abre a possibilidade de realização pessoal se, e somente se, os recursos forem gastos com sabedoria.

Desejos universais e saudáveis de realização

Voltamos então à grande pergunta: quanto deve ser gasto e quanto deve ser alocado para poupar e doar? Ao refletir sobre seu orçamento familiar com base nos termos da hierarquia de Maslow, conforme visto na Figura 3, o conflito de interesses fica claro. O cristão deve levar em conta seu papel designado por Deus, equilibrando a ordem de contribuir para o reino com o desejo dado pelo próprio Senhor de prover para necessidades humanas atuais e futuras. Mesmo quem se encontra na pobreza pode cultivar a sabedoria e a espiritualidade de poupar e doar, muito embora tal família provavelmente gaste uma grande maioria de seus recursos financeiros, ao mesmo tempo que ainda honra a Deus em todos os aspectos. (O dízimo de alguém que ganha 50 mil dólares por ano pode representar maior fidelidade que um cheque de 1 milhão assinado por alguém que recebe 3 milhões!)

Para aqueles da classe média alta que têm renda próxima aos seis dígitos, economizar e doar deve adquirir maior destaque no orçamento, uma vez que as necessidades humanas básicas já foram atendidas. Cada dólar extra no contracheque pode ser dividido entre melhorias no estilo de vida e doar ou economizar. Uma vez que o primeiro corte é feito e alguns recursos são economizados, o restante da renda pode ser empregado para criar

GASTAR: INVESTIMENTO NO PRESENTE **151**

mais oportunidades de prosperidade humana para a família. Aqueles que ganham um valor alto de seis dígitos enfrentam um problema novo e interessante. Os gastos devem continuar a subir sem limites? Ou, a fim de evitar a tragédia do "superdesenvolvimento" — gastos excessivos que não aumentam a realização pessoal —, deve ser estabelecido um teto para o consumo?

Cremos que a resposta é sim e a linha de chegada de 150 mil dólares da Figura 3 foi escolhida de forma bastante proposital. Pesquisamos diversas fontes a fim de entender o ato de gastar da perspectiva mais científica e rigorosa possível, para nosso próprio planejamento futuro. Após essa pesquisa, chegamos à convicção de que as estimativas de um estilo de vida universalmente desejado costumam girar em torno de um poder de compra na faixa dos seis dígitos. Curiosamente, esse é o nível de gastos que observamos entre amigos de nossa família e parceiros de negócios, o que parece apoiar mais que adequadamente os desejos razoáveis de uma família típica.

O valor também é atestado por fontes adicionais. Em tempos recentes, o jornal *USA Today* tentou descobrir qual é o valor de gastos necessário para realizar o sonho americano e chegou a um total em torno de 60 mil dólares para "o essencial" e pouco mais de 100 mil para aproveitar de forma plena todo o estilo de vida norte-americano (cerca de 120 mil brutos).[10] Thomas Piketty, em seu *best-seller O Capital no Século XXI*, afirma que mesmo na Europa feudal havia a noção de um estilo de vida universalmente desejado, que consistia na capacidade de viajar, vestir-se e comer bem, estudar e dedicar-se às artes.[11] Os nobres eram os únicos com a sorte suficiente de alcançar esse estilo de vida, mas

[10] *USA Today*, "Price tag for the American dream", <http://www.usatoday.com/story/money/personalfinance/2014/07/04/american-dream/11122015/>. Acesso em 27 de maio de 2019.
[11] Piketty, *Capital in the Twenty-First Century*, p. 415.

romancistas como Jane Austen descreveram em grandes detalhes em que consistia tal estilo de vida e os gastos orçamenta-
res necessários para mantê-lo. Tal estilo de vida pode refletir de
forma aproximada o conceito de cumprir a "vocação humana",
de acordo com João Paulo II. Segundo os ajustes do poder de
compra feitos por Piketty, esse estilo de vida pode ser financiado
com o dobro ou triplo da renda média no mundo ocidental moderno, ou seja, de 100 mil a 150 mil dólares após a dedução de
impostos, para as despesas. Arredondando para chegar aos impostos atuais, os valores de Piketty correspondem a uma renda
total de cerca de 120 mil a 200 mil dólares. (O mais surpreendente é que as famílias que correspondem à parcela dos 5% a
10% mais ricos dos Estados Unidos têm condições de custear um
estilo de vida equivalente ou superior ao dos lordes e duques da
Europa antiga.)

É impressionante quanto essas três fontes independentes
convergem, indicando que em algum lugar entre a renda familiar de 120 mil a 200 mil dólares existe uma interseção entre
o estilo de vida da antiga nobreza europeia, o moderno sonho
americano e quem sabe até mesmo da visão bíblica de prosperidade sadia de uma perspectiva material. Até o sistema tributário
parece reconhecer isso, descontando mais da faixa salarial logo
acima desse valor, como se o governo considerasse que, após as
necessidades materiais de uma família estarem bem garantidas,
seu percentual de impostos pode aumentar consideravelmente.
Não se trata de um estilo de vida com luxo sem fim, mas sim de
um patamar que permite a seus beneficiários desfrutar a vida
ricamente, sem se preocupar com carências materiais.

Se uma renda bruta de 200 mil dólares, correspondente a um
poder de compra de cerca de 150 mil em 2016, representa o topo
da estimativa de um estilo de vida universalmente desejado, o
que podemos concluir? Em primeiro lugar, os gastos devem ser
restringidos de forma saudável dentro da renda, de modo que

GASTAR: INVESTIMENTO NO PRESENTE **153**

permitam um pouco de economia e de doação. Também propomos que, depois de se atingir determinado patamar de renda suficiente para alcançar os desejos comuns a todas as pessoas, as despesas devem deixar de depender do total da renda. Conforme explicou um dos participantes da pesquisa: "Acho que devemos definir uma 'renda' para nós e doar o restante". Em termos econômicos, isso significa que existe uma renda acima da qual a propensão para o consumo do cristão deve cair para zero. Isso não se aplica necessariamente a todas as pessoas, mas para os cristãos, que receberam o chamado de dividir seus bens com quem necessita, de apoiar a expansão do reino e de cuidar dos menores dentre os irmãos, a motivação deve ser clara.

Ao analisar tais fatos, nós dois percebemos que havia chegado o momento de levar a sério a necessidade de impedir que os gastos dominassem nossa vida. Queríamos poder abençoar nossa família com coisas boas, mas não ser consumidos pelo consumo. Assim, seguindo os exemplos encontrados em alguns de nossos estudos de caso, definimos uma linha de chegada de despesas. Essa linha de chegada foi escolhida depois de cuidadosa análise e oração, destinando o excesso de renda para outros fins, isto é, poupar e doar.

Um orçamento anual de 100 mil dólares, que nós escolhemos como limite máximo, é apenas um exemplo ao qual chegamos por meio da triangulação de diversas fontes. Para nós, essa se tornou a linha vertical do mapa financeiro do servo, fazendo a divisa entre "seria bom contar com um pouco mais da renda" e "tenho bastante renda". O valor para cada família que decida seguir o exemplo pode ser mais alto, e certamente pode ser mais baixo. Aliás, um valor menor é melhor para obter liberdade financeira mais depressa. É bem mais fácil atingir independência financeira com um estilo de vida que custe menos de 100 mil dólares por ano do que gastando muitas vezes esse valor. Quanto mais limitamos nossos hábitos de consumo, mais depressa

154 DEUS E O DINHEIRO

alcançamos liberdade financeira e podemos começar a doar de maneira mais arrojada para a obra cristã no mundo.

Ao estabelecer o padrão de gastos em 80% a 100% da renda, ou até mais, na maior parte da sociedade moderna, nós nos limitamos a girar sem parar na roda do trabalho e do gasto constantes. Seremos escravos de algo no que se refere ao dinheiro. Devemos ser escravos dos gastos? Quem tem baixa renda pode até precisar ser, mas, para indivíduos de renda mais elevada, escolher ser escravo dos gastos parece ilógico quando comparamos com pessoas como os Samuels, que têm uma visão do dinheiro de escopo bem maior. Embora nossa linha de chegada seja 100 mil dólares por ano em despesas, temos a ambição de ver se conseguimos viver de maneira mais modesta e experimentar a vida abundante que não depende de um alto nível de fluxo de caixa. Se percebermos que conseguimos viver com 70 mil, não vamos torrar os 30 mil restantes em dezembro só para alcançar o limite!

Reconhecemos, é claro, que pais idosos, crianças com necessidades especiais ou parentes que necessitam de auxílio financeiro podem aumentar bem mais os gastos (embora se possa argumentar que, em alguns desses casos, é possível considerar que são doações em vez de despesas — nesse aspecto, a diferença acaba sendo mera questão semântica). Não existe mágica nos números específicos que escolhemos para nosso teto de gastos, mas o desdobramento com o qual muitas fontes concordam é que o cristão necessita de um bom motivo para gastar significativamente mais que isso — a maioria da sociedade parece lidar muito bem com essa faixa de gastos, e o estilo de vida que ele possibilita foi considerado aristocrático ao longo da maior parte da história humana. Depois que o limite é definido, os gastos deixam de ter qualquer relação com a renda. Mesmo que meus ganhos aumentem de repente para 1 milhão de dólares ano que vem, eu me comprometo a dizer: "Uau! Que bênção! Nossas necessidades de gastos foram atendidas, então em oração destinaremos esses novos recursos a doar e poupar". Esse conceito é demonstrado em forma de gráfico a seguir. Os recursos disponíveis para doar ou poupar podem crescer até o infinito, mas o consumo pessoal é refreado por um limite cuidadosamente definido.

Gráfico 5: Ilustração da linha de chegada de gastos

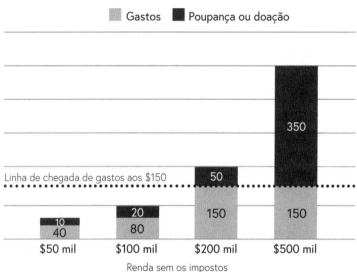

Embora essa ideia pareça superficialmente radical, existem muitos precedentes na nuvem de testemunhas para tal escolha:

- Rich Mullins, músico cristão de sucesso extraordinário na década de 1990, orientou seu contador a lhe repassar a renda norte-americana média e doar o excedente.[12] Ciente de como o dinheiro havia começado a corrompê-lo no

---

[12] Patrick Beeman, "Rich Mullins, Asymptotic Catholic", <http://www.firstthings.com/web-exclusives/2013/03/rich-mullins-asymptotic-catholic>. Acesso em 27 de maio de 2019.

início de sua carreira, ele escolheu ignorar sua renda de momento, sem nunca saber quanto dinheiro sua música realmente lhe rendia.

- Alan Barnhart, empresário cristão da atualidade, separa um salário anual fixo de cerca de 140 mil dólares para sustentar a si, a esposa e os seis filhos. Ele é rápido em destacar que não faz "nenhum sacrifício", já que o valor corresponde a 3,5 vezes a mais acima da linha da pobreza.[13] Enquanto isso, já doou mais de 100 milhões de dólares de renda excedente para instituições cristãs de caridade ao redor do mundo, envolvendo seus filhos no processo de filantropia ao longo do caminho. Seu estilo de vida é fixo, ao passo que sua generosidade cresce junto com sua renda.
- De maneira semelhante, Will Pope, CEO do petróleo e gás natural da região de Oklahoma, separa um salário anual de pouco mais de 200 mil dólares e doa todo o restante para o desenvolvimento da obra cristã em países em desenvolvimento.
- R. G. LeTourneau[14] e Rick Warren[15] ajudaram a popularizar o "dízimo invertido", doando 90% de sua renda para o evangelho.

Esses são alguns exemplos de muitos cristãos que entregaram seu sucesso financeiro ao Senhor de bonitas maneiras e

---

[13] "Generous Testimony: Alan Barnhart", YouTube, baixado em 10 de maio de 2012, <https://www.youtube.com/watch?v=m0__rBqEr3Y>. A conversa dos autores com um associado do dr. Barnhart indicou que 140 mil dólares é o total salarial mais recente da época, 2014, e que as despesas custeadas por esse salário incluem pelo menos parte das despesas com a faculdade dos filhos.

[14] Giants for God, "RG LeTourneau, Earthmoving Innovator", <http://www.giantsforgod.com/rg-letourneau/>. Acesso em 27 de maio de 2019.

[15] Big Think, "What is a reverse tithe?", <http://bigthink.com/videos/what-is-a-reverse-tithe>. Acesso em 27 de maio de 2019.

colocaram os gastos em seu devido lugar, subservientes ao chamado para sermos servos de Cristo com nosso dinheiro. Nossa esperança é que essa estrutura possa ajudar muitos outros a se unirem a eles.

Pensamento final: *como nós gastamos?*

Uma reflexão final sobre gastos: quando assumimos a mentalidade de servo, é possível que o caráter de nossas despesas mude. Uma família que gasta apenas 50 mil dólares por ano pode acabar gastando 30 mil a mais na reabilitação e no sustento de uma criança que receberam em casa por um ano. E aí, eles "gastaram" 50 ou 80 mil nesse caso? Não sabemos como classificar a contabilidade, mas temos a certeza de que desejamos imitar o coração de servo que eles demonstram ter.

Temos ouvido falar sobre viagens missionárias para a África em substituição a turismo na Europa. Ou quem sabe você comece a comprar regularmente almoço para as pessoas e ser anfitrião de pequenos grupos em seu lar, partilhando de maneira intencional o amor de Cristo com os outros. Você contrata o amigo desempregado da igreja para pintar sua casa, mesmo sabendo que poderia ter feito o serviço sozinho, mas prefere dar a ele a dignidade do trabalho. Um casal que você conhece compra alguns hectares de terra e recebe de bom grado grupos de jovens e missionários visitantes em seu centro de retiros improvisado. Nossa ideia central é: a vida será vivida com beleza se você começar a diluir as barreiras entre gastar e servir.

> **De olho nos detalhes...**
>
> O pastor Jeff Manion liderou o crescimento da Ada Bible Church no oeste do Michigan, que passou de apenas 25 membros para mais de 8 mil atualmente. Ele escreveu um livro sobre contentamento chamado *Satisfied*. Escute-o falar sobre esse assunto no inspirador clipe de quinze minutos chamado "Here & Now", em <GodandMoney.net/resources>.

Quando você começa a achar difícil decidir o que conta como doar e o que conta como gastar, então provavelmente está fazendo a coisa certa. Se você é um cristão com renda muito alta, é melhor gastar 150 mil dólares em uma vida que convide a presença dos outros, com generosidade e hospitalidade, do que gastar 80 mil por ano em alienação, isolamento e avareza, separando cupons, dando pouca gorjeta e afastando-se dos outros. Há um perigo nisso, pois é bem fácil gastar muito dinheiro com a justificativa sutil de que "pelo menos sou generoso em espírito". Para acertar nessa direção, é necessário passar por uma *mudança séria* de mentalidade a fim de viver voltado para o próximo. Um estilo de vida generoso não abre mão de preencher cheques de alto valor para ministérios eficazes, mas também acreditamos que as famílias de renda alta devem deixar alguma margem para gastos que edificam a comunidade, honram a Deus e abençoam aqueles que fazem parte de sua esfera de influência. Há grande alegria em viver dessa maneira!

7

POUPAR: INVESTIMENTO NO FUTURO

*Não se inquietem com o que comer e o que beber. Não
se preocupem [...]. Busquem, acima de tudo, o reino de
Deus, e todas essas coisas lhes serão dadas.*
JESUS, EM LUCAS 12.29,31

*Não se desgaste tentando ficar rico; tenha discernimento
para saber quando parar.*
PROVÉRBIOS 23.4

Depois de cuidar dos gastos, como a renda excedente deve ser distribuída entre doar e economizar? Devemos realmente poupar? A vida cristã inclui a tensão entre a soberania divina e a responsabilidade humana. Planejamos o futuro por meio da sabedoria revelada, e oramos pedindo revelações específicas. Visitamos médicos e tomamos remédios, ao mesmo tempo que rogamos por cura e confiamos nossa saúde a Deus. Doamos por confiança, e economizamos por responsabilidade piedosa. Por sermos seguidores do Jesus do Novo Testamento, temos um pé no futuro eterno, mas o outro firmemente plantado nas realidades terrenas. Seu reino está aqui, porém ainda não começou. Cremos que a poupança tem um lugar válido na vida de um cristão. No entanto, não deve ser um lugar presumido, nem exaltado. Nossas metas de poupança precisam ser submetidas ao desejo de glorificar a Deus e passar pela prova de não se tornar um ídolo em nosso coração. E todas as economias, o tempo inteiro, devem permanecer abertas ao Senhor para que ele oriente e, quem sabe, até instrua a doá-las (Lc 18.22).

160 DEUS E O DINHEIRO

Acreditamos que nós, servos, temos o dever de pensar com cuidado na decisão de poupar ou doar de acordo com a prioridade das necessidades ao nosso redor. Tudo o que poupamos deve estar ligado a um objetivo ou a uma necessidade tangível. Necessidades pessoais de grande importância podem assumir prioridade nas primeiras etapas de acúmulo de riquezas, ao passo que aqueles com mais recursos podem destinar um foco cada vez maior às doações. Devemos avaliar as diferentes metas de riqueza, sabendo que a outra opção para nosso dinheiro é doá-lo em benefício da igreja ou dos pobres. As seções a seguir abordam essas decisões importantes em relação aos motivos mais comuns para acumular riqueza: livrar-se de dívidas de consumo, possuir casa própria, pagar os estudos dos filhos e aposentar-se na velhice. Categorizamos tais necessidades como *básico*, representando quase todas as necessidades e desejos humanos universais. Qualquer coisa que vá além disso, como independência financeira, sociedade em uma empresa etc., representam *luxo* em nossa estrutura. Analisaremos como o servo de Cristo deve abordar cada um desses objetivos.

Para cada categoria, apresentamos uma diretriz financeira pessoal razoável, nossa linha de chegada, a situação em que nos encontramos e depois uma análise. Nossa análise se baseia no estudo das Escrituras, nas melhores práticas existentes na área das finanças pessoais cristãs hoje e em nossa pesquisa original e estudos de caso. Seremos breves. Sem dúvida, um livro inteiro ou um conjunto de livros poderia ser escrito somente acerca deste capítulo, mas queremos apresentar de forma concisa nossa opinião biblicamente fundamentada. Há muitas outras fontes com recomendações financeiras pessoais mais detalhadas, como o Compass Map, os ensinos de Ron Blue sobre os princípios financeiros bíblicos, os sete passos iniciais de Dave Ramsey e a pesquisa da mentalidade financeira realizada pela iniciativa Thrivent Financial. Como sempre, queremos destacar que cada caso é diferente e o propósito dos valores monetários específicos a seguir são ilustrativos, não prescritivos. No entanto, usaremos valores reais em dólares porque acreditamos que, dessa maneira, fica mais útil e concreto do que simplesmente discutir ideias abstratas.[1]

O BÁSICO

Tenham como objetivo uma vida tranquila, ocupando-se com seus próprios assuntos e trabalhando com suas próprias mãos, conforme os instruímos anteriormente. Assim, os que são de fora respeitarão seu modo de viver, e vocês não terão de depender de outros.

Apóstolo Paulo, 1Tessalonicenses 4.11-12

Liberdade de dívidas de consumo (possuir carro sem reserva de domínio e ter uma poupança para emergências)

- *Diretriz financeira pessoal:* Pagar dívidas. Comprar carro à vista. Ter de três a seis meses de salário em uma poupança para usar em caso de emergência.
- *Nossa linha de chegada:* Não ter nenhuma dívida, dois carros de no máximo 30 mil dólares cada e uma poupança de 40 mil dólares para emergências.
- *Nossa situação atual:* A família Cortines se formou com 50 mil em empréstimo estudantil para quitar em um plano de sete anos. Temos dois carros que valem juntos 18 mil dólares. Estamos economizando do fluxo de caixa para comprar carros novos e para aumentar nossa poupança de emergências, que hoje conta com 10 mil dólares. A família Baumer se formou com 180 mil dólares em empréstimos estudantis para quitar em um plano de quatro anos. Os dois carros também valem 18 mil dólares juntos, e a poupança de emergência hoje se encontra quase completa, com 35 mil dólares.

---

[1] Todos os números são em dólares norte-americanos do ano 2016 e devem ser ajustados de acordo com a inflação no futuro.

162 DEUS E O DINHEIRO

As dívidas de consumo, aqui definidas como todas as dívidas não ligadas ao pagamento da casa própria, costumam representar patrimônio líquido negativo, incluindo empréstimos para comprar carro, estudar, dívida do cartão de crédito e crédito consignado.[2] Quando há dívidas de consumo, tanto poupadores quanto servos provavelmente escolhem destinar uma fração relativamente grande da renda para quitá-la, em vez de gastar ou doar.

Os empréstimos estudantis estão se tornando rapidamente a dívida de consumo mais comum, quase que onipresente. Nós dois temos a intenção de pagar nossos empréstimos estudantis de modo relativamente rápido, e isso, às vezes, limita as doações no curto prazo. Contudo, discordamos dos gurus de finanças pessoais que sugerem que o pagamento das dívidas deve se sobrepor totalmente a qualquer doação. Doações regulares são importantes para manter o bem-estar pessoal e obedecer à Palavra de Deus. Mesmo que cada um de nós tenha um empréstimo estudantil substancial para quitar, parece-nos absurdo pensar em interromper totalmente as doações a fim de pagá-lo com maior rapidez.

Para os que vivem em estado de "superdesenvolvimento", usando o termo de João Paulo II, as escolhas responsáveis nessa área da riqueza podem envolver a escolha de um carro mais moderno, cuja manutenção é compatível com o novo nível de renda. Um indivíduo que conhecemos cancelou a encomenda de um Audi R8, que custa 185 mil dólares, após ler *The Treasure Principle*, de Randy Alcorn, e perceber que investir na eternidade seria um uso mais interessante do dinheiro. De maneira semelhante, o grupo de prestação de contas de Will Pope questionou por

---

[2] Existem casos avançados nos quais a pessoa escolhe contrair uma dívida de consumo, apesar de ter dinheiro suficiente para quitá-la (p. ex., pega um empréstimo para pagar o carro com taxa de juros de 1% e investe o dinheiro no mercado de ações, na esperança de receber mais que 1% de juros). Esta análise ignora tais situações e presume que o motivo para a existência da dívida de consumo é simplesmente a inexistência de recursos para pagá-la.

que ele tinha um Mercedes. Ele começou a compreender que o carro era uma questão de ego pessoal e o trocou por um modelo esporte utilitário básico. Não estamos sugerindo, de maneira alguma, que possuir um carro de luxo é um problema fundamental, mas sim que comprar esse tipo de veículo não precisa ser a escolha automática de quem tem dinheiro. Para Will, era uma ameaça à saúde de seu coração e de sua caminhada espiritual, e ele reconheceu esse fato com humildade — que maneira honesta e cristocêntrica de viver!

Dirigir um carro muito antigo acabou por trazer benefícios espirituais inesperados. Quando meu Honda ano 2006 apresentou problemas mecânicos, percebi Deus trabalhando em meu coração. Ficar sentado em uma oficina mecânica, perder três horas e quatrocentos dólares por causa de consertos pequenos é uma situação frustrante. Mas então pensei: "É assim que grande parte do mundo vive". Para ser franco, sou tão mimado que experiências desse tipo são anormais na minha vida. Isso sem mencionar a bênção de ter fácil acesso a quatrocentos dólares para pagar o conserto. Dirigir um carro velho usado foi a situação que Deus usou para ampliar meu senso de compaixão e solidariedade em relação àqueles que possuem menos que eu. Aguardo ansioso pelo dia em que minha família terá dinheiro para comprar à vista uma *minivan* novinha em folha, mas, por enquanto, estou aproveitando as lições que Deus me ensina com esse modelo bem antigo.

Por fim, acreditamos que manter uma poupança de emergência para cobrir de três a seis meses das despesas faz sentido para nossas famílias. Essa é a recomendação padrão de finanças pessoais para qualquer grupo familiar. E está em harmonia com as exortações de Paulo aos cristãos de que cuidassem da própria família, trabalhassem usando as mãos e evitassem tornar-se um fardo para os outros. Esse fundo protege contra a perda inesperada do emprego, a necessidade de um novo teto, calamidades de saúde e um milhão de outras possibilidades.

164 DEUS E O DINHEIRO

Para refletir:

- Quanto vale nosso carro?
- Quanto temos na poupança de emergência?
- Temos dívidas de consumo?
- Devemos ter uma linha de chegada para esses itens? Se sim, de quanto?

Casa própria

- *Diretriz financeira pessoal:* Parcela inferior a 28% da renda. Valor do imóvel inferior a três a quatro vezes o total da renda anual.
- *Nossa linha de chegada:* Em geografias normais, no máximo 280m² com cinco banheiros, o que costuma custar menos de 500 mil dólares, a menos que as condições imobiliárias sejam excepcionais. Não gastar mais que o necessário para nos qualificar para um financiamento imobiliário de quinze anos, considerando apenas 80% de nossa renda.
- *Nossa situação atual:* Em 2015, a família Cortines comprou uma casa de 295 mil dólares, com 230m², em uma região residencial de preços modestos, com um empréstimo de trinta anos que eles pretendem quitar em dez a vinte anos. A família Baumer está à procura de uma casa e provavelmente gastará mais de 500 mil dólares em uma residência modesta e mais antiga por causa da valorização do mercado imobiliário em Nashville, perto de onde Greg trabalha. Eles planejam pegar um empréstimo de trinta anos, a fim de adiantar o pagamento de parcelas ao longo do processo.

Comprar uma casa é algo complicado. Cada mercado local é diferente, e existem inúmeros fatores que influenciam a decisão de adquirir um imóvel residencial. Conforme Brandon Fremont explicou: "Comprar uma casa é um problema de otimização de variáveis múltiplas. Eu gostaria de uma casa em um bairro com muita diversidade, baixo índice de criminalidade, preço razoável, excelentes escolas na região e muito espaço ao ar livre. Ah, também quero que fique no máximo a dez minutos de carro do meu trabalho, de preferência do mesmo lado da cidade que minha igreja". É óbvio que essa casa não existe! Logo, é preciso fazer sacrifícios em uma ou mais dimensões ao escolher um imóvel.

Foi essa complexidade que nos levou a fazer uma pausa quando consideramos quanto poderíamos generalizar. O casal com o ninho vazio que mora em uma mansão imensa, de 600 mil dólares e 550m² em um bairro residencial do Texas, pode estar tomando uma decisão que envolve mais desperdício do que a família que possui um apartamento modesto de 1,5 milhão de dólares em uma cidade muito cara. Por isso, estabelecer limites precisos em relação a preços seria um exercício de futilidade. A decisão precisa ser tomada levando em conta as necessidades da família que busca um lar com o coração de servo, não de gastador ou poupador. Será que nos sentiremos confortáveis em conversar com Jesus sobre a casa que escolhemos, quando o encontrarmos face a face?

Gráfico 6: Custo típico de uma casa entre 180 e 270m², de quatro quartos, a uma distância razoável do centro da cidade

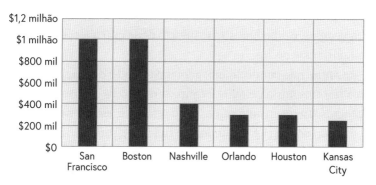

166   DEUS E O DINHEIRO

Em sua maioria, as pessoas que conhecemos que moram em casas grandes e luxuosas possuem um bom motivo para isso. Elas adoram receber pessoas. Acham que conseguiram fazer um ótimo negócio. Ganharam bastante dinheiro com a valorização do mercado imobiliário. Às vezes, recebem convidados que passam algumas noites com a família. Ninguém tem o direito de julgar os outros pelas decisões que tomam em uma área tão cheia de complexidades quanto essa, mas notamos que ninguém diz: "Adoro o fato de que possuir esta casa faz com que eu me sinta bem comigo mesmo e minha autoestima aumenta ao saber que moro no bairro mais exclusivo da cidade".

Nossos estudos de caso estão bem distantes desse tipo de mentalidade. Denise e o esposo moram em uma casa de 185m², que compraram há décadas. Edward e Katherine Heath, cujo estudo de caso aparece no próximo capítulo, são donos de uma casa de 450 mil dólares, apesar de terem condições de facilmente adquirir uma casa de pouco mais de 1 milhão. No ano passado, eles oraram a respeito de se mudar para um bairro melhor, mas concluíram que fazer isso seria por atender a desejos orgulhosos de obter *status*, não por uma necessidade legítima. Eles já viram muitos amigos se mudarem para um bairro melhor e observaram como fazer isso traz a tendência de trocar carros populares por carros importados e transformar as viagens familiares para a praia em férias sofisticadas no exterior. Quando cercado por esbanjadores, é difícil resistir ao ímpeto de se unir a eles e também adquirir esse perfil.

O princípio que decidimos adotar na escolha de uma casa, após realizarmos nossa pesquisa e conversarmos com diversos cristãos generosos a quem admiramos, é que ela deve, em primeiro lugar, ter preço acessível e, segundo, ser suficiente para atender às necessidades da família, sem excessos. A média de tamanho de uma casa nova construída nos Estados Unidos na década de 1970 era de 150m^2, mas agora passa de 230m^2.[3] Aliás, a área das residências cresceu 10% por ano de 2008 a 2013. Continuamos a construir casas cada vez maiores, mesmo após o estouro da bolha imobiliária! Vivemos, de fato, uma era de extremos na busca por residências cada vez mais luxuosas. Pode haver sabedoria em evitar um grande financiamento imobiliário e escolher uma casa mais modesta que possa ser quitada rapidamente.

Os servos devem evitar o uso de "calculadoras do preço ideal de imóvel" *on-line* sem fazer modificações cuidadosas. Tais calculadoras não levam em conta o fato de que você é doador. Lembre-se: seis de cada sete famílias não doam nada. É para eles, não para você, que tais calculadoras foram projetadas! Nosso método de escolha é ver o que podemos pagar levando em conta 80% de nossa renda com um empréstimo de quinze anos, e isso nos dá limites de quase a *metade* do que as calculadoras inicialmente nos informam que podemos pagar e nos coloca em uma posição bem mais flexível para viver como servos.

Em quanto tempo uma casa deve ser paga? Conhecemos pessoas que quitaram a casa o mais rápido possível e outras que mantêm o plano de trinta anos a fim de doar mais no presente. Certo amigo que terminou de pagar a casa compartilhou conosco a seguinte reflexão: "Sabe, a vida não está tão diferente. As pessoas fazem um escarcéu para quitar o financiamento imobiliário, e sim, é bom estar livre disso. Mas os impostos e o seguro continuam a existir, a manutenção da casa e as contas mensais não vão embora e meu estilo de vida não mudou em nada. Apenas sobra um pouco mais de dinheiro no final de cada mês... e daí? Eu gostaria de saber que não era algo tão importante assim conseguir terminar de pagar". Compreendemos o desejo de

---

[3] AOL, "Does your home live up to the American average?", <https://www.aol.com/article/finance/2014/06/18/average-us-home-size-features/20914238/>. Acesso em 27 de maio de 2019.

168 DEUS E O DINHEIRO

eliminar as despesas com financiamento imobiliário, mas nós dois decidimos demorar no mínimo dez anos para quitar nossas respectivas casas, mesmo que fôssemos capazes de fazê-lo antes. Preferimos doar ou economizar para outros fins a ficar obcecados por isso. E, se conseguirmos juntar antes o dinheiro que pretendemos reunir em dez anos, simplesmente pararemos de destiná-lo a quitar a casa própria e nos concentraremos em outras prioridades.

A ideia de criar nossa família em um bairro mais "normal", em lugar de fixar residência no ambiente mais elitizado que tivermos condições de bancar, também dá a nossos filhos a chance de crescer com o pé no chão, mais em contato com a realidade. Aliás, foi por isso que nós (a família Cortines) compramos uma casa que está entre as melhores do bairro. A sabedoria convencional diz que você deve comprar a casa mais barata de um bairro, mas sentimos que, se fizéssemos isso, estaríamos em meio a vizinhos que gastam bem mais que o nosso estilo de vida, colocando nosso coração em risco. Em vez disso, ao morar em uma das casas mais caras do bairro, nossas tendências mais econômicas parecem "normais" em comparação com as dos vizinhos.

Por fim, não importa a casa que comprarmos, sempre devemos nos lembrar de que ela pertence, na verdade, a Deus, não a nós mesmos. Se mantivermos em mente nosso papel de mordomos de suas posses, isso nos ajudará a ter a perspectiva certa em relação a como devemos usar o bem que costuma ser o mais valioso das posses materiais a nós confiado: o nosso lar.

Para refletir:

- Qual é o valor de nossa casa ou casas?
- Qual é o plano de pagamento?
- Existe uma linha de chegada à vista em relação a quanto dinheiro queremos investir em uma casa?
- Como podemos colocar nossa casa a serviço do reino?

Aposentadoria

- **Diretriz financeira pessoal:** Economizar no mínimo 15% da renda. Se possível, fazer o depósito máximo de todas as contas de previdência disponíveis. Se conseguir terminar antes, excelente.

- **Nossa linha de chegada:** Poupar não mais que o necessário para garantir nossa linha de chegada de despesas anuais de forma perpétua, a partir dos 67 anos de idade.[4] Se começarmos a alcançar esse objetivo antes da hora, pensamos em reduzir as contribuições.

- **Nossa situação atual:** A família Cortines tem cerca de 150 mil dólares já economizados e poupa de 12 a 17 mil dólares por ano. A família Baumer tem cerca de 100 mil dólares de economias e atualmente poupa de 15 a 17 mil dólares por ano. Nenhuma das duas famílias tem planos de poupar mais no futuro próximo.[5]

Aprender a mentalidade do servo acerca da aposentadoria tem sido a maior pedra de tropeço para mim (John) em toda a nossa jornada de pesquisa para este livro. Conseguir me aposentar cedo sempre foi um objetivo extremamente valorizado para mim — a promessa brilhante de liberdade financeira, contemplada à distância como um oásis tentador. As planilhas financeiras de várias colunas, calculando as probabilidades, costumavam me dizer que eu chegaria lá aos quarenta e poucos anos caso poupasse com afinco suficiente em minha carreira na Chevron.

---

[4] Nossa ferramenta de planilha eletrônica ou seu consultor financeiro pode ajudá-lo com os cálculos, caso você não se sinta confortável com todos os fatores e pressupostos envolvidos.

[5] Nossos números incluem uma contribuição equivalente por parte da empresa. É claro que sempre aproveitamos qualquer "dinheiro de graça" disponível para equiparação, mesmo que signifique tirar dinheiro de outras contas a fim de evitar o acúmulo excessivo.

170 DEUS E O DINHEIRO

Denise Whitfield, que ainda trabalha feliz aos 61 anos como consultora financeira, ajudou a despedaçar minha perspectiva imperfeita. Ela brincou: "Todos os meus clientes querem se aposentar aos 50 anos, mas para quê? A aposentadoria é uma construção artificial. [Aposentar-se aos 50 anos] move o esteio demais para a esquerda, não deixando outra opção, a não ser poupar de maneira arrojada! As pessoas agem como se existisse uma espécie de padrão que todos devemos seguir, segundo o qual precisamos parar de trabalhar quanto antes, porque é isso que todos dizem que devemos fazer. Em vez disso, podemos perguntar ao Senhor o que ele quer que façamos em cada ano de nossa vida". Para um poupador como eu, isso pareceu meio doido, mas, aos poucos, comecei a reconhecer que Denise estava demonstrando o cerne da mentalidade do servo em relação à riqueza.

De maneira semelhante, Brandon Fremont entende que a poupança para a aposentadoria é algo que deve ser construído aos poucos, em busca de segurança financeira durante a velhice, quando ele não tiver mais condições de trabalhar. Brandon deseja possuir 3 milhões de dólares para a aposentadoria, quando estiver idoso a ponto de não poder mais trabalhar. Mas segue o caminho do acúmulo lento para chegar a esse patamar, sem planos de parar de trabalhar, apesar de seu enorme poder aquisitivo. Se eu estivesse no lugar dele, é possível que economizasse ao longo de um ou dois anos para alcançar minha meta! Mas ele continua trabalhando e doando com fidelidade, compartilhando seus recursos tremendos. Por que destinar uma porção imensa de renda disponível hoje para a aposentadoria, se ele ainda tem décadas para continuar poupando com essa finalidade?

O especialista em finanças Mitch Anderson destaca que a ideia de aposentadoria surgiu junto com a revolução industrial, quando as pessoas trocavam o trabalho físico pelo dinheiro de uma empresa. Hoje, porém, trocamos nossa capacidade cerebral por dinheiro. O cérebro para de funcionar aos 50, 62 ou

POUPAR: INVESTIMENTO NO FUTURO **171**

67 anos? Mitch pinta uma imagem para nós: "É o dia 42 de sua aposentadoria, o alarme dispara e você se dá conta de que não tem nenhuma razão, nenhum propósito para levantar da cama. O que fazer agora?".[6] Há muitos casos em que as pessoas desejam uma transição de campos profissionais de alta renda para um trabalho mais missionário, porém trabalhar duro com propósito é algo que devemos planejar fazer como servos, enquanto o Senhor nos der vida e uma mente lúcida.

Aos 23 anos, eu sentia muito orgulho do fato de conseguir poupar mais de 35 mil dólares por ano para a aposentadoria, fazendo o depósito máximo em todo tipo de plano de previdência que conseguia encontrar. Essa forma arrojada de poupar era necessária para apoiar meu plano de ter a possibilidade de me aposentar cedo, me recostar em uma poltrona e relaxar até o dia acabar. Agora eu planejo continuar usando minhas habilidades de maneira produtiva até não ter mais condições de fazê-lo — até os 70 anos, se Deus assim permitir. Se eu fizer os cálculos agora, fica claro que necessito separar muito menos por ano a fim de ter o suficiente até o final da vida, isto é, o esteio agora se encontra no lugar certo. Atualmente, economizo apenas o suficiente para receber o máximo de contribuição equivalente da empresa e também pago o plano de previdência privada da minha esposa, Megan. (Ela trabalha duro como mãe em tempo integral e merece acumular fundos de aposentadoria tanto quanto eu.)

Para concluir, acreditamos que economizar para a aposentadoria é sábio dentro do contexto certo, mas um acúmulo arrojado demais prioriza o conforto pessoal acima da ordem de partilhar o evangelho e o amor de Cristo com o mundo. Decidimos que, se começarmos a adiantar o ritmo das economias para

---

[6] Palestra proferida no congresso regional do Kingdom Advisor em Nova York, 15 de setembro de 2015.

a aposentadoria durante a velhice, diminuiremos o passo, o que nos permitirá doar mais ou poupar para outras áreas no presente.

Para refletir:

- Estamos adiantados, atrasados ou no ritmo certo?
- Por quanto tempo devemos trabalhar em nossa capacidade atual, com a mentalidade de servo?

Faculdade dos filhos

- ***Diretriz financeira pessoal:*** Abrir um fundo de poupança para a faculdade e economizar de acordo com a expectativa das despesas futuras.
- ***Nossa linha de chegada:*** Em atitude de oração, poupar um montante para cada filho que cubra a maior parte de todas as despesas universitárias previstas, mas não a totalidade.
- ***Nossa situação atual:*** Nós dois já abrimos esse fundo de poupança, com o plano de economizar uma soma modesta de cinco dígitos para cada filho antes que concluam o ensino médio. O total específico muda dependendo da inflação do preço das mensalidades escolares, o potencial de cada filho para ganhar uma bolsa de estudos, possibilidades de auxílio financeiro etc., e o que não pode ser predito com precisão no momento.

A maioria dos pais, se financeiramente capaz, gostaria de custear a educação dos filhos. Na era moderna, o diploma universitário tornou-se praticamente um pré-requisito de ingresso na classe média e na média alta. As Escrituras ensinam com clareza que devemos prover para nossa família e cremos que essa despesa representa algo que qualquer pai capaz deve considerar pagar, presumindo que o filho demonstre a maturidade e a espiritualidade necessárias para merecer tal investimento. A diferença entre terminar a faculdade com alguns dólares no banco e se formar com 60 mil dólares em empréstimos para quitar é imensa na vida de alguém com vinte e poucos anos. Como temos a capacidade, nossa esperança é colocar nossos filhos na primeira situação, se eles trabalharem com afinco para usar os dons que Deus lhes concedeu e seguirem o chamado do Senhor para a vida deles.

Esse objetivo provavelmente assume uma posição semelhante à poupança para a aposentadoria na vida de um mordomo responsável da riqueza. É natural e adequado desejar o melhor para os filhos, um reflexo de como nosso Pai celeste deseja o melhor para nós. No entanto, acumular riquezas excessivas para os filhos, em lugar de lhes dar oportunidades, tira deles a chance de ver o dinheiro da família em ação na comunidade cristã. Além disso, também pode promover uma atitude de isolamento dentro da família, contrária à ênfase na vida partilhada e comum que nos é apresentada nas Escrituras.

Um de nós visitou recentemente uma família cristã rica, cuja filha tinha um mapa com fotos das cinquenta crianças de países em desenvolvimento que a família auxilia financeiramente. Ela ajuda a escrever cartas para esses meninos e meninas e ora pelo bem-estar deles. Tal envolvimento familiar com a generosidade é algo maravilhoso para uma criança pequena, possivelmente tão relevante quanto as mensalidades universitárias no futuro.

Para refletir:

- Qual é a situação mais provável com relação à educação superior de nossos filhos?
- Como estamos nos preparando? Estamos indo longe demais ou estamos aquém?

Reflexão sobre o básico

Para todos esses itens básicos, meu desejo sempre foi poupar o mais rapidamente possível, de modo que pudesse me sentir seguro. Hoje, porém, reconheço que Deus é meu provedor — não minhas capacidades superiores de planejamento. Dizer que "Deus é meu provedor" não me isenta da obrigação de poupar com sabedoria, planejar com antecedência e fazer boas escolhas. No entanto, significa que posso escolher doar em vez de poupar, poupar e poupar até que eu tenha todos os meus desejos atendidos antes de ir além do meu dízimo para a obra de Deus. Minha oração na vida parece ter sido sempre a mesma: "Senhor, se permitires que eu pague minha casa até os 35 anos, que economize o suficiente para custear integralmente a educação universitária de todos os meus filhos e que conclua a poupança para a aposentadoria (ah, e mencionei que quero um Mercedes Classe C vermelho também?), então começarei a doar 15% ou mais, em vez de apenas 10%". Essa atitude parece um pouco com a de Jacó, quando ele disse, em essência: "Se o Senhor fizer X, Y e Z para mim, então será meu Deus" (ver Gn 28.20).

Em lugar dessa velha mentalidade de escassez, estou tentando caminhar de maneira ativa com uma mentalidade de fartura, que reconhece a soberania divina sobre minhas finanças, mesmo que eu ainda não tenha conseguido pagar tudo o que desejo. Tem sido um verdadeiro desafio aceitar uma função profissional sem fins lucrativos, em lugar de uma função de expatriado com alto salário, mas Deus tem sido fiel em me ensinar o contentamento em meio a novas circunstâncias. Com espírito de fartura e mentalidade de servo, tenho a esperança de fazer doações generosas para o reino de Cristo agora mesmo, enquanto confio que ele suprirá todas as minhas necessidades futuras.

Brandon Fremont ilustra maravilhosamente esses princípios em sua vida. Ele escolheu com intencionalidade evitar a obtenção de independência financeira, mesmo ganhando milhões por ano. Aliás, ele adquire apólices de seguro de modo estratégico, a fim de reduzir a necessidade de acúmulo de riquezas. "Por que alguém poupa dinheiro além [do básico]? Somente por medo de invalidez, morte e a escolha de parar de trabalhar. Eu adquiro seguro contra invalidez e de vida para cobrir [a possibilidade de qualquer uma dessas tragédias]. E o trabalho é um privilégio — o conceito de aposentadoria só para relaxar não está nas Escrituras e não faz sentido. Gasto 2.500 dólares por ano com apólices de seguro para proteger minha família se eu ficar inválido ou morrer. Caso contrário, planejo continuar trabalhando". Ele não vê necessidade de acumular economias extras, uma escolha que lhe oferece a possibilidade de doar de maneiras magníficas para sua igreja aqui e agora.

Para refletir:

Para a maioria das famílias norte-americanas, o básico custa menos de 1 milhão de dólares. John e Greg definiram esse valor como sua linha de chegada para *tudo* que faz parte do básico.

- Queremos definir uma linha de chegada?
- Levando em conta nossa situação familiar e o custo de vida local, qual seria ela?

Luxos

> *O que o rico deve fazer com o supérfluo, aquilo que vai além das necessidades e, portanto, se torna um fardo? Distribuir para quem passa necessidade.*
>
> Clemente de Alexandria

Independência financeira

- *Diretriz financeira pessoal:* Continuar poupando! Quem sabe um dia você possa parar de trabalhar!
- *Nossa linha de chegada:* Só acumular mais que o básico se houver um bom motivo para isso. Jamais, sob nenhuma circunstância, acumular mais que 33 vezes nossa linha de

chegada de despesas em um fundo de independência financeira (limite: 3,3 milhões de dólares).[7]

• **Nossa situação atual:** Nenhum de nós dois terminou de poupar para o básico, então ainda não estamos nessa etapa.

A independência financeira também pode ser definida como aposentadoria precoce ou, pelo menos, o acúmulo de recursos suficientes para dar ao indivíduo a possibilidade de se aposentar cedo caso deseje. Representa um nível de riqueza que pode financiar um estilo de vida perpetuamente, o que significa que quem a possui jamais necessita trabalhar de novo.

Embora os objetivos apresentados para o básico sejam relativamente padronizados, os motivos para a busca de independência financeira são extremamente singulares para cada pessoa. É crucial perguntar qual seria o propósito desse acúmulo adicional de riqueza. Alguns sonham em ter liberdade de fazer mestrado ou doutorado, ingressar no ministério pastoral, dedicar-se às artes ou lecionar. Outros planejam se manter no mesmo emprego, talvez visualizando o senso de segurança e tranquilidade que vêm com o conhecimento de que um salário não é uma necessidade genuína.

Levando em conta a condenação que o rico insensato recebeu, acreditamos que a busca de independência financeira deve ser feita com muito cuidado, se é que deve ser buscada. O simples desejo de segurança pode não ser uma justificativa suficiente, embora isso seja algo que cada cristão deve definir de maneira individual. Após conseguir todo o básico, o mordomo precisa tomar cuidado para não enfatizar em excesso o acúmulo contínuo

---

[7] Esse total é uma versão capitalizada de nossa linha de chegada de gastos. Investimentos financeiros equivalentes a 33 vezes a linha de chegada de despesas pessoais são capazes de gerar mais ou menos esse valor da linha de chegada em rendimentos todos os anos.

de recursos. Cipriano, pai da igreja primitiva, condenou enfaticamente o comportamento daqueles que tentavam economizar cada vez mais dinheiro visando apenas a segurança pessoal.[8]

Conhecemos famílias que rejeitam a independência financeira, bem como aquelas que aderiram a essa meta com cuidado e oração. Respeitamos ambas as escolhas, desde que feitas intencionalmente. Will Pope, por exemplo, possui investimentos líquidos equivalentes a milhões de dólares — seu fundo de "linha de chegada da riqueza pessoal". Ter um fundo seguro dessa natureza permite que ele e a família se concentrem em enxergar seu empreendimento como uma ferramenta para a glória de Deus, totalmente fora do alcance de seus ganhos pessoais. Se a empresa falisse amanhã, eles estariam bem e isso permite que doem com generosidade e sem hesitar os lucros atuais, sem poupar nada. Também tomam a cautela de não se apegar nem mesmo ao fundo. Will diz: "Não existem garantias, e o mercado pode implodir. Estou nas mãos de Deus e não me preocupo. Podemos voltar para Costa Rica e morar em um apartamento de 65m^2 [se precisarmos]". A linha de chegada da riqueza pessoal também é um valor fixo. Quando o valor do fundo aumentou recentemente por causa da valorização do mercado, eles venderam os lucros e doaram os dividendos, mantendo constante o total do fundo.

Dentro de nossa estrutura, consideramos que o básico é o "piso" de quanta riqueza desejamos acumular e vemos a independência financeira como o "teto". Se algum dia decidirmos parar no piso ou no teto, haverá um julgamento com prestação de contas a nossos irmãos e irmãs em Cristo. Após definido, esse valor representará a linha horizontal no mapa financeiro do servo, delineando quanta riqueza "basta" para nós. Por ora, estamos

---

[8] Justo Gonzalez, *Faith and Wealth: A History of Early Christian Ideas on the Origin, Significance, and Use of Money* (Eugene, OR: Wipf and Stock, 1990), p. 127.

começando a lenta jornada de pagar por tudo relativo ao básico, sabendo que nossas doações aumentarão drasticamente depois de chegarmos lá.

Para refletir:

- Nós temos um propósito ligado ao reino que nos leve a buscar a independência financeira?
- Qual seria o valor da linha de chegada?

Somando tudo

Somando o básico tanto para a família Baumer quanto para os Cortines, o total desses itens equivaleria a um patrimônio líquido de aproximadamente 1 milhão de dólares em 2016. Isso se baseia em nossos planos atuais, que incluem poupar no longo prazo para aposentadoria, possuir uma casa de menos de meio milhão de dólares, poupar de forma modesta para a faculdade dos filhos e dirigir carros fora da categoria de luxo. (Nossos planos anteriores de vida exigiam até 3 milhões de dólares para o básico, incluindo uma casa entre 1 e 2 milhões de dólares e aposentadoria precoce. É importante destacar quanto as escolhas de estilo de vida podem trazer limitação ou liberdade financeira.) A independência financeira requer cerca de 3 milhões de dólares a mais para cada uma das famílias, por isso consideramos esse valor o teto absoluto de acúmulo de riqueza em nossa vida.

Uma vez que estamos nos aproximando do primeiro milhão de dólares, mas bem distantes dos 4 milhões,[9] será necessário exercer mordomia ativa e intencional para orientar a doação ou o acúmulo de recursos. Acima de 4 milhões de dólares, "cortaremos" o topo de nosso patrimônio líquido, seguindo o exemplo de Will Pope. Abaixo de 1 milhão, nós nos esforçaremos para adquirir

---

[9] Levando em conta os ajustes da inflação.

riqueza à medida que provemos o sustento de nossa família. Entre os dois valores, analisaremos em oração nosso caso para tomar decisões ativas sobre aumentar ou não a riqueza pessoal. Se estivermos prestes a deixar o emprego para ingressar no ministério com um salário modesto, poderemos tender para o valor maior. Se sentirmos que continuaremos a trabalhar recebendo um salário mais alto por muitos anos, permaneceremos mais perto do número inferior. Essa estrutura de decisões se encontra resumida na Figura 4.

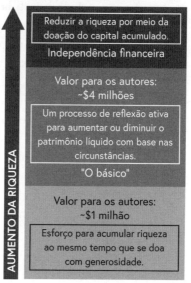

Figura 4: Estrutura da linha de chegada da riqueza pessoal

Herança

- **Diretriz financeira pessoal:** Maximizar o valor por meio do planejamento cuidadoso do patrimônio. Reclamar do imposto sobre herança e tentar evitá-lo.
- **Nossa linha de chegada:** Pagar a faculdade e fornecer ajuda modesta além disso (provavelmente de 100 mil dólares ou menos) relativamente cedo na vida adulta de nossos filhos. Nenhuma ganho inesperado quando morrermos. Envolver nossos filhos no processo de generosidade à medida que amadurecerem, oferecendo-lhes uma rica herança espiritual de doação.
- **Nossa situação atual:** Estamos economizando para a faculdade e daremos qualquer auxílio extra tirando do fluxo de caixa futuro ou de economias.

Vale a pena incluir um breve comentário sobre herança. Antes de começar este projeto, nós dois planejávamos acumular a maior fortuna que conseguíssemos (dando o dízimo durante o processo), para então transmiti-la a nossos filhos. John havia até começado a ler livros sobre como preservar a fortuna familiar ao longo de várias gerações! Agora, porém, reconhecemos um chamado mais elevado para nossa riqueza do que deixá-la para os filhos. O serviço ao reino de Deus assumiu a prioridade. Nossos estudos de caso mostram pontos de vista semelhantes.

Os planos de Brandon Fremont nos inspiraram de maneira especial. Ele deseja custear a faculdade de cada um dos filhos, contanto que demonstrem aptidão e caráter para merecer o investimento. Caso levem uma vida piedosa e sábia, planeja ajudá-los também com a entrada para a casa própria. E pronto. Brandon planeja explicar com clareza a cada um que esse dinheiro recebido inicialmente será a totalidade de qualquer herança deixada por ele. Em suma, esse plano envolve entregar algumas centenas de dólares para cada filho após os 18 anos, incluindo o custo da faculdade, caso façam por merecer. (Investir em um filho que leva um estilo de vida ímpio representaria uma má decisão de mordomia.)

O filho se beneficia do recebimento antecipado da transferência de riqueza no início da vida adulta, quando ela é mais necessária, e a clareza do processo é um benefício imenso. A partir de então, os pais cumpriram, em essência, suas obrigações para com os filhos — porque os criaram em um lar cristão, deram-lhes boas oportunidades educacionais e os ajudaram a se estabelecer como adultos maduros na sociedade. Desse ponto em diante, a responsabilidade por mais crescimento e desenvolvimento de cada filho será um compromisso próprio.

Certa vez, perguntaram a um célebre consultor de finanças se ele conhecia alguma família rica que havia transmitido a riqueza até a quarta geração com sucesso irrestrito no que diz respeito a caráter e maturidade das gerações envolvidas. Apesar de ter quase cinquenta anos de experiência no aconselhamento financeiro de famílias cristãs e liderar uma rede de consultores financeiros cristãos, ele não conhecia *nenhuma*. Lembre-se do Princípio 3: a riqueza é como dinamite, e depois de ser passada de mão em mão algumas vezes, alguém está fadado a se ferir.

Certo indivíduo que conheci, que ganhara dezenas de milhões ao longo da vida, contou-me que, quando estava com 19 anos, seu pai lhe disse que ele não receberia um centavo. Tudo seria doado para a igreja. Ele sentiu raiva e surpresa na época, mas hoje reflete: "Se ele tivesse me dado 1 milhão de dólares, será que eu teria a mesma iniciativa e ambição em minha carreira? Não tenho como dizer, mas, sem dúvida, isso poderia ter me mudado". Esse homem doa generosamente de sua própria renda e planeja deixar apenas uma herança modesta para os filhos.

Em uma palavra final de advertência, gostaríamos de destacar que a herança de sociedade em empresa, terra ou outros bens sem liquidez apresenta uma situação mais complicada e cheia de nuances do que a riqueza líquida em si. Levando em conta o cenário correto, a transmissão de um negócio familiar ou de outros bens sem liquidez para os herdeiros pode ser a escolha lógica, mas é preciso tomar bastante cuidado. Por exemplo, Will Pope recentemente decidiu que sua empresa ficará para os filhos, os quais já demonstraram *décadas* de caráter espiritual e competência. Todos eles são adultos maduros e, após anos de conversas abertas sobre o assunto, Will tem a confiança de que cuidarão do negócio com o coração de servo, assim como ele tem feito. No entanto, ele só tomou essa decisão há alguns anos. Queria ter confiança absoluta de que esse plano maximizaria o valor final recebido pelo reino de Deus e, por isso, nem sempre presumiu que daria a empresa para os filhos.

Riqueza adicional, sociedade em empresa etc.

Só mais um pouquinho.
John Rockfeller, quando lhe perguntaram "Quanto é suficiente?"

- *Diretriz financeira pessoal:* Continuar a acumular riqueza, isto é, fazer o império crescer.
- *Nossa linha de chegada:* Sem planos de acumular qualquer patrimônio extra no longo prazo. Se recebermos algo no curto no médio prazo, direcionaremos com sabedoria para a causa de Deus.
- *Nossa situação atual:* Nós dois recebemos direitos autorais por este livro e ganhamos com as palestras que damos. Doamos essa renda — o dinheiro vai diretamente para nossa conta na National Christian Foundation e, de lá, o direcionamos para diversos ministérios. Greg tem participação nas ações de sua empresa equivalente a uma soma de seis dígitos. Ele se esforçará para maximizar esse valor no curto e no médio prazo com base nas oportunidades que surgirem. Ao liquidar o dinheiro, doará e poupará o valor de acordo com nossa estrutura.

Depois de acumular riqueza suficiente para cobrir o básico, e quem sabe até alcançar independência financeira, precisa haver uma forte justificativa para qualquer acúmulo adicional de riqueza. Em nossa vida, descartamos a possibilidade de acumular diversas casas de férias, ter um avião particular etc., porque não enxergamos um propósito convincente de serviço ao reino ao possuir essas coisas.

Nesse ponto, também é preciso tomar cuidado para evitar a atitude que diz: "Sou diferente da maioria, e a construção das minhas riquezas está realmente ajudando o reino de Deus de maneira diferenciada". Há muitos ricos que têm potencial para cair no pecado da arrogância, ao crer que, de algum modo, estão fazendo um favor para Deus ao manter sua riqueza e emprestar a ele sua grande habilidade nos investimentos, com o plano de doar tudo quando morrerem. Propomos que, de modo geral, é melhor colocar o dinheiro nas mãos de Deus desde o início, por meio de doações sábias e bem planejadas, confiando que ele multiplicará o investimento na esfera espiritual, em vez de confiar em mãos humanas para multiplicar o investimento na esfera financeira. Quem somos nós para dizer que os rendimentos financeiros obtidos não seriam excedidos pelo "retorno filantrópico" que o dinheiro poderia gerar caso fosse doado a princípio? Mesmo que você consiga lucrar legitimamente "alfa", por que não confiar os recursos àquele que se intitula "o Alfa e o Ômega", em vez de depender de si mesmo? Conforme Denise Whitfield explica: "Não é preciso fé nenhuma para doar para as causas do reino no testamento, pois você não precisará do dinheiro depois de morto". É fácil se imaginar como um rico nobre, mas é difícil doar em atitude de sacrifício e reduzir as posses terrenas. Acreditamos que Deus se agrada mais de quem opta pela segunda opção.

Aliás, a literatura demonstra que os retornos sociais sobre o dinheiro doado a organizações eficazes pode variar de 15 a 20%.[10] Os retornos financeiros reais de um investidor individual inteligente com uma carteira equilibrada provavelmente entram no patamar de 5% ou até menos.[11] A tentativa de exceder os índices de retorno como investidor individual é um caminho repleto de dificuldades e de risco de desempenho inferior. De acordo

---

[10] Leia um exemplo da literatura sobre retorno social do investimento em "Returns to Investment in Education", <http://documents.worldbank.org/curated/pt/468021468764713892/pdf/multi-page.pdf>. Acesso em 27 de maio de 2019. Ver também Paul Jansen e David Katz, "For Nonprofits, Time is Money", *McKinsey Quarterly*, 2002.

[11] William Bernstein, *Rational Expectations: Asset Allocation for Investing Adults* (Nova York: Efficient Frontier, 2014).

com o principal livro didático sobre finanças usado pela Harvard Business School, os esforços de superar o mercado por meio de troca ativa ou compra do melhor fundo mútuo disponível provavelmente resultam em retornos diminuídos para o investidor individual.[12] Por fim, buscar rendimentos excedentes através de investimento em classes de ativos alternativos, como fundos multimercado ou fundos de cobertura, embora pareça lucrativo para quem vê de fora, parece ser uma estratégia inferior para investidores de varejo ou dotações que não controlam bases de ativos de muitos bilhões de dólares.[13]

Logo, tudo indica que a grande maioria de nós está presa a retornos futuros (reais) de 5% nos investimentos financeiros, mas com a possibilidade de ganhar de 15 a 20% de "retorno social" nas doações. Além disso, a doação resulta em um prêmio eterno, ao passo que poupar coloca nossa alma em risco. Os incentivos são claros! Temos o desejo de levar a vida de que Cristo fala em Marcos 4.8, ao se referir à semente que cai em bom solo, multiplicando em trinta, sessenta ou cem vezes o que foi semeado. Nosso melhor palpite acerca de como chegar lá é doando bastante, tão cedo quanto possível, com responsabilidade.

Levando em conta o raciocínio mencionado, haveria algum motivo para acumular mais riquezas nessa fase da vida? Cremos que há certos casos em que o acúmulo adicional de riquezas pode

---

[12] Jonathan Berk e Peter DeMarzo, *Corporate Finance: The Core* (Nova York: Pearson, 2014), p. 451-452. Os autores relatam que "estudos típicos chegam à conclusão de que o retorno para os investidores do fundos de ações médio dos Estados Unidos tem alfa negativo" e "em média, fundos mútuos ativamente administrados não parecem fornecer resultados superiores para seus investidores em comparação com investimentos em fundos de índices passivos".

[13] David Wallick, Brian Wimmer e James Balsamo, "Assessing Endowment Performance: The Enduring Role of Low-Cost Investing", *Vanguard*, 2014. Esse estudo relata que a doação financeira pequena ou média comum [menos de 1 bilhão em ativos] é mais bem atendida por uma carteira diversificada, transparente e de baixo custo de fundos mútuos investidos em títulos e ações tradicionais.

ser produtivo e útil para o reino de Cristo. No contexto empreendedor, o acúmulo de riqueza é uma possível porta de entrada para iniciativas cada vez maiores. Com frequência, os empresários não consomem muito do que seus esforços produzem. Em vez disso, minimizam o estilo de vida ao "nível básico" e reinvestem a maior parte da riqueza em novos e sucessivos negócios. Em tais casos, o teste crucial é se a riqueza não líquida dos negócios é considerada como sendo do indivíduo ou de Deus. Tal escolha deve ser feita com cuidado e oração, submetida à opinião de uma equipe de conselheiros piedosos. (Além disso, quem toma a decisão de acumular patrimônio de forma cautelosa deve fazer todo esforço possível para doar no mínimo uma parte considerável de seus lucros atuais, a fim de treinar o coração para a generosidade.)

Não vemos problema no tamanho do patrimônio líquido do negócio quando o empresário gasta de acordo com sua linha de chegada de despesas extraída dos lucros do empreendimento, reinveste de maneira apropriada para o crescimento e considera que todo o excedente pertence a Deus, para a obra do reino. É possível, porém, andar a segunda milha e seguir os passos de Alan Barnhart, que doou a totalidade dos 250 milhões de dólares da empresa para um fundo de caridade enquanto ainda detinha o controle de voto. R. G. LeTourneau, por sua vez, manteve a propriedade pessoal da empresa, mas doava 90% de sua renda (proveniente da empresa). Para quem enfrenta esse tipo de desafio, recomendamos, antes de mais nada, uma política de transparência financeira radical com uma equipe

> **De olho nos detalhes...**
> Alan Barnhart inspirou uma onda tremenda de generosidade ao compartilhar sua história de fidelidade à Palavra de Deus. Outros empresários seguiram seu exemplo radical em anos recentes, com o auxílio da National Christian Foundation, doando toda a empresa. Escute Alan contar sua história no vídeo de dezessete minutos "God Owns Our Business", em <GodandMoney.net/resources>.

de parceiros de prestação de contas. Will Pope nos contou que, a princípio, ele "preferiria andar pelado na rua" a compartilhar tudo sobre suas fianças, mas, depois que o fez, a sensação de liberdade e paz foi extraordinária.

Conclusão do capítulo 7

Ao vincular metas de poupança ao nosso chamado e às nossas necessidades de provisão na vida, podemos definir linhas de chegada gerais ou pontos de corte de patrimônio líquido, a partir dos quais não há mais necessidade de acumular riquezas. Descobrimos que essa é uma ideia muito libertadora!

Acreditamos que organizar os pensamentos e planos para mordomia em uma aliança de generosidade pessoal é um exercício valioso para administrar as doações no longo prazo. Exemplos podem ser encontrados ao fim do capítulo 8. Também disponibilizamos uma planilha para calcular as linhas de chegada de acordo com diversos cenários, disponível para *download* em nosso *website* <GodandMoney.net>.

Gostaríamos de fazer uma última observação acerca das posses. Dissemos, no capítulo anterior, que gastar e doar devem começar a se confundir em uma vida generosa. O mesmo se aplica a nossas economias ou posses. A totalidade de nossa vida deve pertencer a Jesus, e isso inclui tudo o que consumimos e toda a nossa riqueza. Logo, seu carro e sua casa devem estar sempre 100% disponíveis para abençoar sua igreja e outras pessoas, mesmo sendo "seus". O cristão que segue nossa estrutura com precisão absoluta, mas falha em ser hospitaleiro ou acolhedor, provavelmente ainda não entendeu a essência da generosidade!

Síntese da estrutura dos capítulos 6 e 7

Sinto que meu maior chamado na vida é patrocinar o ministério. Vou trabalhar todos os dias com a motivação de ganhar o máximo de dinheiro que puder a fim de poder doar mais para o avanço do evangelho e, em especial, para a igreja local.

Resposta à pesquisa

Em primeiro lugar, recomendamos escolher o menor nível de despesas possível para cuidar de maneira responsável das necessidades de sua família e possibilitar a plena realização da "vocação humana" de cada um de seus membros. Esse conselho é comum tanto de acordo com a visão de mundo cristã quanto seguindo a perspectiva secular das finanças pessoais — quanto menor seu consumo, mais sobra de dinheiro você terá a cada ano. À medida que a renda crescer, seu consumo deve aumentar num ritmo menor, permitindo que poupar e doar assumam a maior parcela de seu contracheque. Por fim, depois que seus gastos atingirem um patamar que o faça feliz como mordomo da renda com a qual Deus o abençoou, eles pararão de crescer, com toda a renda excedente sendo destinada a economias e doações. Pensamos que um teto razoável para as despesas seja por volta de 100 a 150 mil dólares por ano, para uma família de tamanho moderado que more em uma cidade com custo de vida típico. Nossos estudos de caso incluem indivíduos que estabeleceram para si um limite inferior a esse patamar (a família Samuels) e maior que ele (Will Pope), mas todos parecem viver plenamente com a mentalidade de servos. Para famílias grandes que moram em metrópoles de alto custo como San Francisco ou Nova York, o limite superior pode ser materialmente maior.

Propomos o "teste dos 20%" para determinar se seu estilo de vida é apropriado e honra a Deus. Calcule seus gastos mensais gerais e faça a si mesmo as seguintes perguntas:

- Primeiro, se você aumentasse seus gastos em 20%, o que acrescentaria a seu estilo de vida? Esses novos acréscimos valem a pena, pois aumentam sua capacidade de pôr em prática seu chamado e de honrar a Deus? Há justificativa para destinar recursos a essas coisas, quando os mesmos fundos poderiam ser poupados ou doados para edificar o reino de Cristo?

- Em segundo lugar, se você cortasse 20% dos gastos, o que eliminaria? A manutenção dessas despesas é válida, levando em conta os padrões listados no tópico anterior?

Esse exercício pode exigir uma análise cuidadosa. Separe tempo para se sentar e anotar os desdobramentos. Acreditamos que a avaliação cuidadosa do orçamento é um ato necessário de mordomia idônea.

Depois de decidir quanto consumir, destine o excedente de dinheiro com sabedoria e em oração, levando em conta em que etapa de construção de patrimônio você se encontra, as necessidades de sua igreja e seu desejo pessoal de doar. No início da vida, poupar pode assumir prioridade, à medida que as dívidas são eliminadas. Quando você deixa de ser devedor para se tornar investidor, o foco deve mudar para níveis mais substanciais de doação. À medida que alcança o básico e se aproxima possivelmente da independência financeira, doar deve assumir precedência absoluta, a fim de que, ao alcançar a linha de chegada da riqueza pessoal antes estabelecida, sua generosidade possa transbordar de um coração bondoso e agradecido.

Esperamos que seja desnecessário dizer que o plano de doação de cada um deve ser aberto à orientação do Espírito Santo. Se alguém se sentir conduzido a doar muito desde o princípio, a estrutura sugerida por este livro não deve ser um impedimento.

A linha de chegada de riqueza depende de objetivos e escolhas pessoais, mas sugerimos que o teto para a maior parte das famílias deve ser inferior a 10 milhões. Nossa opinião pessoal é que a maioria das famílias pode, sem dúvida, fazer uso de um patrimônio de no mínimo 1 milhão de dólares para fins razoáveis de provisão, ao passo que uma família grande, em uma cidade de alto custo de vida, provavelmente irá se virar bem com até 10 milhões de patrimônio final. Esses casos abrangem a variação dentro da qual você pode se posicionar.[14] (Tais valores representam meramente nossa opinião e devem ser entendidos assim. O número adequado para sua família, baseado em uma série de informações e pressupostos, pode ser estimado usando nossa planilha, ou ser obtido por meio de cálculos pessoais ou da consultoria com um conselheiro de finanças.)

Temos total consciência de que essa maneira de enxergar a riqueza é completamente contracultural. Assim como Jesus. Quando um esbanjador sonha com riqueza, é possível que pense em uma grande casa planejada, brinquedos novos e férias exóticas. Os poupadores, em contrapartida, podem imaginar a construção de um patrimônio financeiro duradouro para a família ou conseguir se aposentar cedo e ter maior segurança. Já os servos começam com a gratidão por bênçãos materiais, depois naturalmente veem seus pensamentos se dirigirem para o impacto maravilhoso que podem causar sobre a igreja, ao financiar missionários e estimular o ânimo dos pobres.

Sempre é possível encontrar justificativas para gastar mais e acumular mais riqueza. O propósito dessa estrutura fundamentada na Bíblia é refletir cuidadosamente: "Quanto basta?". Se permitirmos que o Espírito Santo nos conduza nessa área, o impacto poderá ser tremendo, tanto no que diz respeito ao nosso crescimento pessoal quanto ao que se refere às bênçãos ao corpo de Cristo.

A Figura 5 demonstra uma hierarquia de riquezas que corresponde à estrutura de poupança.

---

[14] Essa variação representa, aproximadamente, de vinte a duzentas vezes a renda média das famílias norte-americanas.

190 DEUS E O DINHEIRO

Figura 5: Hierarquia de riquezas

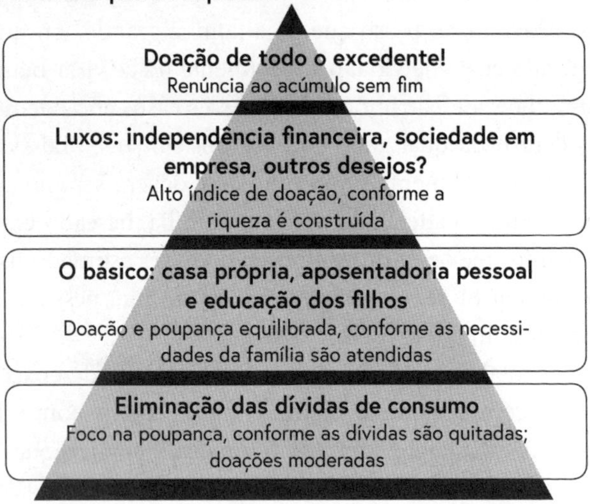

Doação de todo o excedente!
Renúncia ao acúmulo sem fim

Luxos: independência financeira, sociedade em empresa, outros desejos?
Alto índice de doação, conforme a riqueza é construída

O básico: casa própria, aposentadoria pessoal e educação dos filhos
Doação e poupança equilibrada, conforme as necessidades da família são atendidas

Eliminação das dívidas de consumo
Foco na poupança, conforme as dívidas são quitadas; doações moderadas

Para encerrar este capítulo, damos a palavra final a um participante anônimo da pesquisa, que conseguiu captar as tensões entre a mordomia e o chamado para doar de uma maneira bonita:

> Nossa riqueza não é verdadeiramente nossa. Somos apenas mordomos dela. É também um risco para nossa fé. Um tema que perpassa as Escrituras é o perigo espiritual que os ricos enfrentam. Por isso, devemos estar dispostos, assim como Jesus aconselhou o jovem rico, a doar tudo que temos aos pobres. [...] Isso é difícil, pois, em nossa humanidade, sempre queremos mais e tendemos a achar que, se tivermos só mais um pouquinho, então poderemos doar o restante. Precisamos reconhecer essa tendência de planejar a doação para uma data posterior em vez de doar agora com base no que temos, e lutar contra ela.
>
> Também devemos lutar contra a tentação de crer que, de algum modo, recebemos essa riqueza porque a merecemos. Esse é o perigo espiritual mais profundo. Não é algo que merecemos, mas, sim, algo que nos foi confiado e que precisamos usar para mudar o mundo, não para aumentar nosso conforto.

8

SERVIR: INVESTIMENTO NA ETERNIDADE POR MEIO DA DOAÇÃO

Você não ouvirá: "Muito bem, investidor bom e fiel".
AL MUELLER, PRESIDENTE DA ORGANIZAÇÃO EXCELLENCE IN GIVING

Deus pode chamá-lo a morrer pela fé, então qual é a real importância do seu fundo de aposentadoria?
EX-EMPRESÁRIO, HOJE MISSIONÁRIO NO EXTERIOR
(ele sacou das próprias economias para a aposentadoria a fim de custear seu ministério)

Edward Heath acordou sobressaltado, constatando de imediato as mãos suando frio e o nó no estômago. Estaria prestes a cometer o maior erro de sua vida? Ele olhou para a esposa Katherine, que dormia tranquila, virou-se para o relógio e viu que eram três e meia da manhã. Ainda tinha mais algumas horas de sono, mas sua mente estava a mil, então levantou-se em silêncio, saiu do quarto e abriu instintivamente o aplicativo da Bíblia em seu iPhone.

Cem mil dólares. Muitas pessoas economizam a vida inteira e mal chegam a esse valor em riqueza líquida. Agora, com pouco mais de 30 anos, Edward estava ganhando bem na área de financiamento imobiliário, mas antes de terminar a pós-graduação em administração ele servia na Marinha, que não é exatamente o emprego com os melhores salários que existem no mercado. Juntar dinheiro era uma novidade para Katherine e ele, e cem mil dólares eram uma grande porção de seu patrimônio líquido. Fazer uma doação assim tão grande não seria uma grande estupidez? Seria possível levar a generosidade tão longe?

"Primeiro Reis 17." Edward já tinha ouvido o Espírito Santo lhe falar antes, mas, desta vez, foi especialmente claro. Ele vasculhou o cérebro, tentando lembrar se já conhecia a passagem. Nada. Ou sua mente havia escutado algo sobre esse capítulo em algum lugar ou era mesmo o Espírito Santo. Hora de ler. Edward se debruçou na passagem na qual uma viúva dá o último pedaço de pão e o azeite que tem para Elias, mas o estoque é milagrosamente reabastecido. Depois dessa experiência, Elias derrota os profetas de Baal no monte Carmelo.

Edward sentiu a voz do Senhor lhe falando ao coração: "Eu não precisava da farinha da viúva para alimentar o profeta, assim como não necessito da doação sacrificial do seu dinheiro. Essa doação é para o seu benefício. Estou lhe dando o privilégio e a oportunidade de se aliar a mim para matar os deuses do orgulho e da ganância na sua vida e na sua comunidade, assim como os falsos profetas de Baal foram mortos no monte Carmelo".

Com essa mensagem extraordinária de segurança, Edward se encheu de alívio. Ele pensou em como havia chegado a esse ponto na vida. Casado aos 22 anos, ele e Katherine sempre davam o dízimo e, não raro, se sentiram tocados a fazer grandes ofertas adicionais. Mesmo naquela época, porém, em que viviam com o salário dele de oficial da Marinha (62 mil dólares anuais) e o dela em uma empresa de colocação profissional (30 mil dólares anuais), dar o dízimo não era um sacrifício. Pouco depois que se casaram, Deus decidiu testar o coração do casal e os dois sentiram o ímpeto de fazer um cheque de 5 mil dólares. Era um grande compromisso financeiro, mas eles foram em frente e abençoaram a igreja local, sentindo alegria transbordante por poder contribuir com uma quantia tão alta para a obra de Deus.

Um ano depois, o mesmo ímpeto retornou, mas, dessa vez, o total que tinham em mente era de dez mil dólares. Katherine trabalhava então na área de contabilidade e, por isso, sua renda total era maior. Ainda assim, a oferta era proporcionalmente imensa.

Crendo que Deus os havia chamado para essa grande doação e sentindo a orientação do Espírito Santo, eles preencheram mais um cheque de dez mil dólares logo depois de Edward iniciar o processo seletivo para ingressar no MBA de Harvard, "uma espécie de pré-dízimo dos cem mil dólares que custaria o curso, caso entrássemos".

À medida que faziam essas grandes ofertas em atitude de sacrifício, os Heath adquiriram apetite e ambição por doar, mas cem mil dólares era literalmente um novo grau de magnitude. Definitivamente a renda da família não era dez vezes maior do que quando doaram dez mil. Edward havia se sentido guiado a essa doação semanas antes, mas não compartilhou o sentimento com Katherine, com medo de que ela reagisse mal à ideia. Quando finalmente conversaram sobre essa notícia, ela revelou que vinha mantendo em segredo o mesmo valor, pelo mesmo motivo! A despeito dessa confirmação dupla, o nervosismo acerca da oferta era compreensível. Mesmo depois das experiências de receber a graça e as bênçãos de Deus que se seguiram às doações anteriores, dar esse grande passo a mais na generosidade era um enorme desafio para o desejo tão humano de segurança e construção de riquezas.

Depois de confirmarem que queriam seguir em frente, os Heath passaram algumas semanas em oração, perguntando a Deus como destinar a doação. Queriam agir de modo estratégico ao fazer um compromisso tão grande e aproveitar ao máximo o valor. Definiram o plano de doar 20% para a igreja, a fim de criar um programa de bolsas de estudo para o orfanato da igreja no exterior. Katherine descobriu que o valor dos estudos era de apenas 1.500 dólares por ano na universidade da região, e muitos dos órfãos cuidados pela igreja não tinham condições financeiras de pagar pela faculdade após ultrapassarem a idade para permanecer no orfanato. Considerando a paixão que o casal tinha por doar, era uma ideia perfeita. Outros 50% do valor da

194 DEUS E O DINHEIRO

oferta iria para o orçamento geral da igreja. Os Heath sentiram que o Senhor havia lhes dado arbítrio sobre os 30% finais, que destinaram a causas e ministérios nos quais acreditavam.

Edward e Katherine enxergam esse marco em seu histórico de doações como o ponto alto até aqui. No entanto, eles continuam com a ambição de doar em grande escala e sonham com o dia em que Deus lhes dará condições de preencher um cheque de 1 milhão de dólares — outra diferença de ordem de grandeza! O estilo de vida dos dois tem permanecido relativamente estável, levando em conta o padrão arrojado de doações que adotaram. Conforme a carreira progride, a escala de doações também tem crescido. Aliás, ambos continuam a ascender profissionalmente. Katherine agora é analista de uma empresa de capital privado, e Edward tem fechado cada vez mais negócios na área de financiamento imobiliário. O aumento da renda, porém, tem sido destinado mais a doações que a qualquer outra coisa.

Eles demonstram a mentalidade de servos com o dinheiro, e doar assume precedência clara sobre gastar ou poupar arrojadamente. Recentemente, Edward ajudou a fundar um ministério de mordomia formado por pessoas que desejam crescer no dom espiritual de doar.

Você deve se lembrar da minha tendência (John) de ser poupador. Para mim, a história da família Heath era uma anomalia inexplicável em minha visão de mundo acerca do dinheiro. Como alguém pode doar cem mil dólares sem ter acabado de poupar para a aposentadoria e para a faculdade dos filhos? Sem dúvida, eles são 100% orientados pela mentalidade de servo. No entanto, sua história de doações me atraiu em outro nível. Os detalhes de suas doações, falando de forma prática, parecem um modelo a ser seguido.

Depois de conversar com os Heath e com outros personagens de nossos estudos de caso, nós nos perguntamos quais seriam os pontos em comum das pessoas que sabem doar. Depois de

SERVIR: INVESTIMENTO NA ETERNIDADE POR MEIO DA DOAÇÃO   **195**

decidirmos ampliar nossa generosidade financeira, quais seriam os detalhes para fazer isso da maneira certa? Conforme refletimos nessa história e em outros estudos de caso, algumas características em comum emergiram. Passamos a acreditar que existem três critérios essenciais que entendemos como as melhores práticas para acertar nessa história de doar.

- Em primeiro lugar, as doações devem ser *centradas no evangelho*. Se não, elas perdem o valor eterno.
- Segundo, doações vultosas estão *alinhadas com o chamado pessoal do doador ao ministério*. Por que não doar nosso dinheiro para o mesmo lugar ao qual dedicamos tempo e talento, onde temos relacionamentos fortes e na área para a qual Deus nos chamou e capacitou, a fim de fazermos diferença?
- E, por fim, doar é melhor quando feito com *eficácia máxima*. Essa é uma declaração meio óbvia, mas, com frequência, é difícil colocá-la em prática.

Cremos que as melhores doações conseguem satisfazer esses três critérios básicos.

Na história da família Heath, fica claro como os três critérios foram atendidos. Eles doaram para a igreja local e para o orfanato cristão, então o critério de ser uma doação centrada no evangelho foi satisfeito com clareza. Eles sentem no coração o chamado de ajudar os pobres e desvalidos, ou seja, seu chamado pessoal ao ministério foi atendido. Por fim, levando-se em conta o baixo preço da educação universitária no país ajudado, o pagamento das mensalidades de um órfão é um investimento de muito baixo custo em um líder do futuro. Além disso, a igreja já havia investido o custo básico de sustentar aqueles jovens por anos, portanto o investimento marginal para ajudá-los a adquirir habilidades valiosas para a vida tinha um grande potencial de retorno sobre o investimento!

DEUS E O DINHEIRO

Conforme nos aprofundamos nas histórias de doação de nossos estudos de caso, nós também lemos livros da área e entrevistamos profissionais que trabalham de forma eficaz com filantropia. Nesta seção, apresentaremos nossa jornada de aprendizado acerca desses três critérios cruciais, explorando as melhores práticas e exemplos inspiradores à medida que prosseguimos.

COMO DEVEMOS DOAR? AS TRÊS METAS DA DOAÇÃO

Centrada no evangelho

> *Encontrar exércitos de indivíduos que se voluntariem um sábado por ano para pintar casas depreciadas é fácil. Encontrar gente que ame, dia após dia, as pessoas que moram nessas casas é extremamente difícil.*
> Cobbert e Fikkert, *When Helping Hurts*

Reconhecemos que o nível de renda de Brandon Fremont provavelmente significa que ele é muito procurado por pessoas pedindo dinheiro. Queríamos muito saber como ele lida com tais situações e perguntamos se ele preenche cheques "pequenos" de mil dólares para satisfazer organizações seculares sem fins lucrativos. Estávamos curiosos para ouvir a resposta de Brandon a esse pergunta, considerando seu foco intenso e contagiante nas Escrituras como guia de nossas ações como seguidores de Cristo.

Ele respondeu rápido com uma história. Pouco tempo atrás, a filha adolescente de um amigo mandou uma carta pedindo que ele ajudasse a fazer um trabalho humanitário na América Central. Era uma organização secular que trabalhava visando aliviar parte do sofrimento material existente na região. O instinto de Brandon seria dizer não e explicar com gentileza que suas doações já estavam totalmente comprometidas com outras causas. Mas ele parou um pouco e refletiu: "Eu pagaria cem dólares para alguém ler uma carta na qual eu exponho a esperança do evangelho? Sim! Sem nem pensar duas vezes!".

SERVIR: INVESTIMENTO NA ETERNIDADE POR MEIO DA DOAÇÃO **197**

Brandon preencheu um cheque de cem dólares e anexou à carta, explicando que estava muito agradecido pelo trabalho que a jovem planejava fazer. No entanto, incluiu o seguinte: "Água limpa, alimento e abrigo são muito importantes. Contudo, todos se encontrarão com o Senhor do universo quando morrerem, e quero que minha doação ajude as pessoas a terem a resposta certa quando isso acontecer, além de cuidar dessas outras necessidades". Então sugeriu humildemente que ela considerasse essa perspectiva eterna em seu trabalho futuro, à medida que continuasse a se esforçar para fazer do mundo um lugar melhor. Esse se tornou um hábito regular de Brandon. Ele paga uma taxa de cinquenta ou cem dólares (insignificante no plano geral de seu orçamento de doações) para que alguém leia o evangelho apresentado em forma de carta, o que, de outro modo, jamais aconteceria.

O foco obstinado de Brandon no evangelho de Jesus Cristo acima de todas as outras coisas reflete sua compreensão da Palavra de Deus. De fato, somos chamados a aliviar as necessidades materiais onde quer que as encontremos, mas fazê-lo no sentido apenas humanitário, sem o evangelho, é deixar de fora o maior motivo de esperança que temos para oferecer. A fim de adquirir a perspectiva correta a esse respeito, estudamos as Escrituras e também um livro de destaque recente sobre o ministério de assistência humanitária cristã, *When Helping Hurts*, de Steve Cobbert e Brian Fikkert.

Três versículos principais nas Escrituras ajudam a definir nosso chamado para servir o mundo em nome de Cristo.

- Primeiro, a célebre inauguração do ministério de Jesus, em suas próprias palavras, em Lucas 4.18-19: "O Espírito do Senhor está sobre mim, pois ele me ungiu para trazer as boas-novas aos pobres. Ele me enviou para anunciar que os cativos serão soltos, os cegos verão, os oprimidos serão

libertos, e que é chegado o tempo do favor do Senhor".
Cristo tinha um foco claro em alcançar as pessoas em desespero, com necessidades profundas.

- Em segundo lugar, Paulo escreve em 2Coríntios 5.18: "E tudo isso vem de Deus, aquele que nos trouxe de volta para si por meio de Cristo e nos encarregou de reconciliar outros com ele".

- Por fim, Jesus deixou a Grande Comissão para seus seguidores antes de subir ao céu. Mateus 28.19-20 declara: "Portanto, vão e façam discípulos de todas as nações, batizando-os em nome do Pai, do Filho e do Espírito Santo. Ensinem esses novos discípulos a obedecerem a todas as ordens que eu lhes dei".

Logo, somos ministros enviados a este mundo partido, seguindo a tradição de Cristo, com a tarefa de promover a reconciliação. Quando estendemos a mão às pessoas mais necessitadas do mundo, trabalhando para levar reconciliação a todas as áreas da vida delas, em primeiro lugar e antes de mais nada devemos ensiná-las a ser discípulas de Jesus. O livro *When Helping Hurts* dedica algum tempo a explicar o que significa, taticamente, promover a reconciliação. Em suma, nossas doações devem tentar redimir tanto as pessoas, na esfera individual, quanto os sistemas mais amplos nos quais elas vivem. Trabalhar de maneira exclusiva para levar a salvação pessoal pode deixar sem solução a injustiça institucional, ao passo que trabalhar somente em prol da justiça social, sem lidar com o pecado e a salvação pessoal, corresponderia a um ministério desprovido de relevância eterna. Precisamos fazer as duas coisas.

As doações evangélicas na era moderna podem tender demais para o lado pessoal e individualista da balança, evitando a necessidade de lidar com os problemas persistentes de injustiça em nossa sociedade. Em Isaías 58, Deus repreende o povo de

Israel. Por que o Senhor se irou? Conforme refletem os autores de *When Helping Hurts*, "aquelas pessoas frequentavam fielmente a igreja todos os domingos, participavam dos cultos de oração durante a semana, iam ao retiro anual da igreja e cantavam hinos contemporâneos de louvor. Mas Deus se enojou delas [...] por causa da falha em cuidar dos pobres e oprimidos. Ele queria que seu povo soltasse 'as correntes da injustiça'" (Is 58.6, NVI).[1]

A injustiça opera, na maior parte das vezes, em comunidades e subgrupos sociais invisíveis para aqueles de nós que foram abençoados com uma renda mais elevada. Foi um pensamento terrível para nós (John e Greg) aplicar o capítulo 58 de Isaías à nossa vida pessoal, pois talvez tivéssemos feito muito pouco para quebrar as correntes da injustiça que continuam a ser bem poderosas ainda no século 21.

Estendendo esse pensamento, é fácil para nós patrocinar o acampamento de verão de alguém de nossas igrejas de classe média e alta, porque a necessidade é visível e conhecemos as pessoas. Mas nós nos pegamos perguntando: e aqueles mais pobres ainda, que moram do outro lado da cidade, não fazem parte de um grupo de jovens e jamais foram a um acampamento de verão? Será que ser fiel em doar para nossas igrejas, mas ignorar a luta dos desafortunados, seria algo simplesmente inaceitável? "Que aflição os espera, mestres da lei e fariseus! Hipócritas! Têm o cuidado de dar o dízimo da hortelã, do endro e do cominho, mas negligenciam os aspectos mais importantes da lei: justiça, misericórdia e fé. Sim, vocês deviam fazer essas coisas, mas sem descuidar das mais importantes" (Mt 23.23). Conforme Jesus destaca, apenas doar não basta. Somos chamados a levar justiça e misericórdia aonde elas são necessárias! Vale a pena citar mais uma vez um trecho de *When Helping Hurts*:

---

[1] Cobbert e Fikkert, *When Helping Hurts*, p. 39.

O que acontece quando a sociedade historicamente empurra os oprimidos, sem escolarização, desempregados e relativamente jovens para arranha-céus lotados, tira seus líderes, oferece-lhes educação, cuidados de saúde e sistemas de emprego inferiores e então lhes paga para não trabalhar? É de fato surpreendente vermos gestações fora do casamento, famílias despedaçadas, crimes violentos e tráfico de drogas?

O chamado de nosso ministério é para alcançarmos este mundo — instituições e vidas partidas — e tentar lhes apresentar a cura que só Cristo é capaz de trazer. À medida que estudamos as Escrituras, nós nos convencemos cada vez mais de que isso significa estender a mão para ajudar os pobres e marginalizados. Ajudar nossa igreja de alta renda a construir uma nova ala ou centro de retiro é excelente, mas temos a convicção de que se fizéssemos isso ao mesmo tempo que ignoramos os mais necessitados de nossa sociedade, entraríamos em território perigoso aos olhos de Deus.

Se somos seguidores de Jesus, nossas doações devem estar alinhadas aos imperativos das Escrituras. A Bíblia é clara em nos dizer que façamos discípulos de Cristo e cuidemos dos "pequeninos" do mundo. Se Jesus estivesse conosco hoje no século 21, conjecturamos que ele seria visto com frequência junto aos desvalidos, fazendo o convite para o arrependimento e a cura, passando muitos de seus dias em conjuntos habitacionais da periferia. Mesmo que moremos e trabalhemos somente em áreas de renda alta, temos a chance de ampliar esse ministério de Cristo, por meio de doações de caridade, levando cura em seu nome a todos os lugares, desde os confins da terra até o outro lado da cidade em que vivemos.

Alinhamento com o chamado pessoal ao ministério

Lembra-se de Will Pope, sentado em uma cafeteria em San Jose, reconhecendo que seu verdadeiro chamado era aquilo que Deus

SERVIR: INVESTIMENTO NA ETERNIDADE POR MEIO DA DOAÇÃO **201**

o havia preparado para realizar, isto é, voltar para casa e ganhar dinheiro para doar à obra do Senhor parte de sua renda? Bem, quando ele e a esposa Rachel deixaram fisicamente a América Central, seu coração permaneceu no mundo em desenvolvimento. A paixão de Rachel por formar líderes cristãos nas economias emergentes contagiou Will e tem sido a grande força por trás de seus esforços de doação ao longo de mais de vinte anos.

O ministério deles, custeado quase que exclusivamente por doações próprias, oferece bolsas de estudos universitários para alunos dos países mais pobres do planeta. O estudante típico vem de um contexto em que sobrevivia com apenas dois dólares por dia. Todos se comprometem com o serviço a uma organização social ou cristã durante o período de estudos, ao mesmo tempo que são mentoreados por uma parceria com um ministério local. Esse programa já cobriu a educação universitária de centenas de jovens e continua a crescer. Conforme Will e Rachel aprofundam seus conhecimentos e fazem parcerias com organizações em diversos países ao redor do mundo a fim de expandir o programa, sua eficácia tem aumentado. Como nós (John e Greg) temos filhos pequenos, sonhamos em pagar a faculdade dos nossos filhos. Enquanto isso, Will e Rachel estão pagando a faculdade de centenas de filhos dos outros! (E o crédito? Você não verá o sobrenome deles na fundação associada!)

Um parceiro desse ministério, diretor da organização local cristã de um dos países atendidos, disse o seguinte: "[Não se trata apenas de] dar acesso à universidade, mas tem salvado pessoas da morte espiritual, social e econômica". Embora não haja compromisso de serviço futuro para os participantes, esse parceiro conta que diversos dos funcionários de sua equipe são egressos do programa, ansiosos por retribuir.

O foco, o compromisso e a visão de longo prazo de Will para a fundação que põe em prática seu ministério são inspiradores, mas também quase intimidantes. Aqui estou eu, um norte-americano

202 DEUS E O DINHEIRO

relativamente rico, com recursos futuros significativos para fazer diferença nos problemas do mundo, e ainda não escolhi um foco! Eu penso em ajudar a resolver o problema de tráfico sexual de pessoas, sem dúvida me importo muito com os órfãos e também gostaria, quem sabe, de patrocinar um ministério. Mas é claro que preciso doar também para minha igreja local. Como saio dessa mistura para chegar aonde Will se encontra?

A experiência de Will e outras semelhantes demonstram o poder do alinhamento do chamado pessoal ao ministério, baseado em capacidades, talentos e paixões, com doações financeiras. É assim que realmente se ingressa no território dos servos! Quando assumimos um pouco da missão divina neste mundo, é natural aplicarmos todos os recursos que temos, inclusive o dinheiro, para o avanço dessa missão. Isso pode ajudar nossas doações a ganharem vida, enchendo-nos de energia em vez de nos deixar a sensação de que se trata de mais um item de despesa a ser pago.

De forma ampla, sabemos que o corpo de Cristo deve ministrar em todas as manifestações de dificuldades, ao mesmo tempo que compartilha o evangelho. Na esfera individual, porém, nossos chamados podem ser muito diferentes. Partindo do chamado geral ao ministério da reconciliação, devemos considerar de maneira individual nossos dons, nossas circunstâncias financeiras, as necessidades locais e as oportunidades de doação disponíveis na formação de uma visão pessoal para as doações. Embora algumas pessoas consigam reconhecer de imediato o que move seu coração e para que finalidade desejam doar, outras (incluindo eu mesmo, John) têm diversos interesses ou se sentem tocadas por uma grande variedade de causas. Randy Alcorn sugere em seu livro *The Treasure Principle* que, se você não tem o coração tocado por uma causa específica, o primeiro passo para adquirir a paixão necessária é simplesmente começar a doar![2]

---

[2] Alcorn, *The Treasure Principle*, p. 44.

No entanto, com base na experiência pessoal, percebemos que apenas preencher um cheque não basta. Todos nós já ouvimos sermões nos incentivando a usar os três Ts — Tempo, Talento e Tesouro — para o avanço do evangelho. Quando esses três elementos se encontram alinhados, trabalhando pela mesma causa, a soma pode ser muito maior do que as partes envolvidas. Meu erro pessoal é que tenho apenas enviado cheques para ajudar um orfanato ao longo dos três últimos anos, sem formar qualquer conexão real com ele. Ao conversar com as pessoas que participaram de nossos estudos de caso e falar com especialistas, percebi que eu deveria melhorar o alinhamento geral e o foco em minha estratégia de doações.

Conversei com Grace Nicolette, do Center for Effective Philantropy, e questionei-a sobre esse assunto. Ela confirmou: "Espalhar dinheiro por aí faz o indivíduo se sentir bem, pois ele ama as pessoas, tem o coração ligado à necessidade de ajudar e gosta de doar para diferentes causas. Mas focar realmente tem mais poder". O livro *Give Smart*[3] concorda, argumentando que a filantropia dispersa, que distribui poucos dólares para diversas causas, dilui o impacto potencial que um patrocinador pode ter ao concentrar mais suas doações. Embora a doação mais generalizada possa produzir resultados médios, o desenvolvimento de habilidades especializadas para um número pequeno de causas específicas é capaz de causar um impacto superior no longo prazo. Ao relembrar uma matéria que fizemos no primeiro ano de MBA, sobre estratégias de negócios, aprendemos ali algo semelhante: fazer uma coisa muito bem o transforma em um verdadeiro competidor. Fazer uma dezena de coisas pela metade só o leva à falência.

Logo, a especialização pode ter valor imenso a fim de obter "retornos" colossais para o dinheiro doado. Embora seja fácil

---

[3] Tierney e Fleischman, *Give Smart.*

dizer que você quer "fazer o bem" ou "espalhar o evangelho", tais expressões não são úteis nesse contexto. Se você está indeciso, assim como eu, há algumas coisas que podemos tentar:

- Primeiro, podemos orar e pedir a Deus que coloque um chamado em nosso coração à medida que avançamos nessa área da vida.
- Segundo, busquemos sabedoria de amigos cristãos de confiança a quem respeitamos, da igreja e/ou de familiares.
- Terceiro, separemos tempo para refletir e ler sobre os temas que nos interessam.
- Por fim, é importante evitar a paralisia. Vamos aprender à medida que prosseguirmos, em vez de ficar estudando o assunto em cada detalhe.

Estou em paz com o fato de que talvez precise de um, dois ou até cinco anos para descobrir esse tal "chamado". Tudo bem. Eu confio na graça de Deus à medida que trilho esse caminho junto com minha esposa e meus filhos! Em *Give Smart*, os autores destacam que, não raro, a falha em se especializar "não é tanto uma questão de fazer a escolha 'errada', mas sim de deixar de fazer uma escolha". Esse é um erro que eu não quero cometer.

Em nossa reflexão final a esse respeito, vale a pena refletir sobre algo abordado em *When Helping Hurts*. Os autores destacam que, embora haja diversas maneiras de fazer o bem por meio da doação, há também algumas formas de causar dano. A assistência social inapropriada pode estimular a dependência da população atendida. Isso quer dizer que o dinheiro doado, na verdade, estaria tornando o mundo pior! Os autores explicam que existem três tipos de auxílio que podem ser doados: alívio humanitário, reabilitação e desenvolvimento. O alívio humanitário acontece quando o problema urgente e agudo de alguém é resolvido por meio de doações. Pense em desastres naturais, emergências médicas, cativeiro forçado etc. A reabilitação acontece após o alívio humanitário e implica ajudar alguém a chegar à condição de vida que tinha antes de sofrer o desastre. O desenvolvimento consiste em uma jornada de crescimento num prazo maior, que ajuda o indivíduo a deixar a pobreza crônica e aborda problemas profundamente enraizados da vida. Os autores argumentam que o desenvolvimento é a forma mais difícil e também mais necessária de ministério no mundo. No entanto, uma parte desproporcional de doações de caridade vai diretamente para o alívio humanitário. Por que esse desequilíbrio?

O alívio humanitário vende, é (relativamente) fácil e seus resultados são mensuráveis. É só mostrar a foto de uma cidade assolada por um terremoto que o dinheiro aparece aos montes. Trata-se de um estímulo emocional poderoso ver as imagens de um desastre, pois elas mexem fundo com nosso coração. É muito mais fácil comprar uma refeição para um desabrigado do que dizer: "Irmão, como posso caminhar ao seu lado ao longo dos próximos seis meses de uma forma que lhe permita se libertar de qualquer padrão pecaminoso de comportamento em sua vida, adquirir habilidades para o mercado de trabalho e ingressar em um caminho para um futuro melhor?". E, por fim, um banco de alimentos consegue mensurar com facilidade o impacto de curto prazo: "Com cinco dólares você pode alimentar uma família esta noite!". No entanto, os esforços para promover o desenvolvimento são mais difíceis de mensurar. Rupturas emocionais, cura espiritual e capacitação para o mercado de trabalho são resultados dignos, mas não é tão fácil relacioná-los às contribuições financeiras recebidas.

Dadas essas realidades, pode haver uma oportunidade de agregar valor significativo à esfera do desenvolvimento, uma vez que tantas pessoas já estão focadas no alívio humanitário. Para os leitores focados nas finanças, o desenvolvimento tem "preço abaixo da média", logo o retorno em potencial é enorme para um "investidor" inteligente! Conforme os autores destacam, "um dos maiores erros que as igrejas norte-americanas cometem é, de longe, lançar mão do alívio humanitário em situações nas quais a reabilitação ou o desenvolvimento são as intervenções apropriadas".

O programa e o ministério de bolsas de estudos de Will Pope são esforços sólidos de desenvolvimento, voltados para o futuro de longo prazo dos alunos que ele patrocina e das sociedades nas quais eles estão inseridos, levando ao avanço do evangelho de Cristo. É bem melhor fazer isso que simplesmente levar uma equipe de avião, construir uma casinha e voltar logo em seguida! Ajudar sua igreja a estabelecer um programa de doações voltado para o desenvolvimento pode ser uma maneira de se esforçar para causar um impacto estratégico sobre o mundo. Recomendamos muito a leitura de *When Helping Hurts* para um estudo mais aprofundado nessa área. O livro contém diversas estratégias e recomendações de ministérios dessa natureza.

O ideal é "colocar o dinheiro onde nosso ministério está" nesta terra. Às vezes, sem dúvida, apenas preencheremos cheques. No entanto, à medida que nós nos desenvolvemos na caminhada cristã, precisamos nos esforçar para encontrar nosso nicho, no qual podemos causar um impacto extraordinário para o reino de Deus, por meio do alinhamento pleno de nosso tempo, talento e tesouro.

Eficácia máxima

> *Dificilmente apenas a generosidade basta se você tem a aspiração de deixar um legado de resultados excepcionais.*
>
> Tierney e Fleischman, *Give Smart*

"Vai custar quanto cada vez que usarmos o local? Uau! É mais do que quando conversamos da última vez. Ok, verei o que posso fazer." Nosso amigo desligou o telefone e coçou o queixo, em

SERVIR: INVESTIMENTO NA ETERNIDADE POR MEIO DA DOAÇÃO   **207**

reflexão profunda. Ele havia ajudado a angariar recursos para uma organização sem fins lucrativos de determinada cidade que beneficiava regularmente centenas e até milhares de pessoas. No entanto, os custos eram um problema contínuo, pois os grandes encontros feitos pela organização só podiam ocorrer no maior local da região, o único nas redondezas capaz de receber um grupo desse tamanho. Ele começou a se perguntar se haveria uma forma melhor de lidar com o problema em vez de simplesmente pedir aos doadores recursos adicionais para custear o programa.

Trabalhando junto com alguns contatos e conexões, ele formou uma equipe pequena que se reuniu para encontrar uma solução criativa que funcionasse ao longo dos meses seguintes. Após superar uma pilha de trabalho burocrático e estabelecer muitos relacionamentos no decorrer do processo, a equipe e os oficiais do governo que atuam nessa área chegaram ao acordo de que o uso do local era uma causa pública digna. Com o apoio de todos os envolvidos, a taxa decresceu para um valor simbólico que apenas cobre os custos de manutenção e limpeza.

Essa história demonstra como o poder de fatores não financeiros pode elevar a eficácia a outro nível. Em vez de apenas juntar mais dinheiro para manter o programa em funcionamento, nosso amigo colocou sua rede de contatos em ação, usou suas habilidades e sua criatividade para demonstrar o valor daquele trabalho tanto para o público quanto para o ministério! O alinhamento de tempo, talento e tesouro é o primeiro e melhor caminho para garantir o sucesso e a eficácia das doações. Assim como a dívida de uma empresa pode aumentar o retorno das ações, aplicar seu tempo e suas habilidades pode alavancar a oferta de dólares para que se alcance o máximo impacto.

Depois de escutar tantas histórias emocionantes de doação nos últimos meses, percebi que, em geral, eu mensurei as doações feitas por minha família levando em consideração somente o percentual de renda. Isso parece comum também entre meus amigos. Não mensuramos o retorno sobre o investimento, presumindo que nossa igreja ou a instituição de caridade que apoiamos administrará os recursos com sabedoria. Eu confiro o saldo de meus investimentos financeiros com bastante frequência, ansioso por garantir que estou capitalizando em cima dos avanços do mercado. No entanto, depois que preencho um cheque de doação faço justamente o contrário: lavo as mãos e me isento de qualquer responsabilidade. Essa visão simplista tem privado o reino de Deus da totalidade de meus talentos, e espero verdadeiramente melhorar nessa área durante minha caminhada. É claro que não precisamos fazer picuinha com cada centavo que a igreja gasta ou criticar cada item do orçamento da instituição de caridade. Contudo, ao observar os veteranos na arte da doação, reconheci que precisamos trazer toda a nossa gama de habilidades e conhecimento para o processo de doação caridosa, garantindo diante de Deus a maximização da utilidade para o reino do dinheiro que ele permite passar por nossas mãos.

Nos investimentos, os retornos são captados e relatados, por meio do retorno sobre o investimento (ROI). Isso é fácil e simples, pois o dinheiro investido gera mais dinheiro. O desempenho é um dado frio e concreto, fácil de medir e relatar. Nas doações, a mensuração é bem mais difícil, mas isso não significa que a tarefa deva ser evitada. Vamos maximizar as almas salvas por valor investido, a cura emocional por valor investido, o alívio da pobreza por valor investido e assim por diante, da mesma maneira que os participantes de nossos estudos de caso fazem em sua vida. Chamaremos essa noção de eficácia de retorno sobre os investimentos do reino, ou R_{ROI}. Percebi, ao longo do processo de escrita deste livro, que passei a vida inteira me esforçando ao máximo para garantir os melhores retornos financeiros por meio de leituras, estudo e qualificação profissional, mas nunca tinha ido muito além de depositar um cheque na salva de ofertas ao pensar sobre o R_{ROI}.

SERVIR: INVESTIMENTO NA ETERNIDADE POR MEIO DA DOAÇÃO   **209**

Jesus parece incentivar a consciência acerca da questão da eficácia com base em alguns exemplos de seu ministério. Primeiro, ele deixou sua cidade natal quando sua mensagem não foi bem recebida (Mc 6.4) e, em segundo lugar, instruiu os discípulos a sacudir a poeira dos pés e deixar qualquer lugar em que a mensagem não fosse bem-vinda (Mt 10.14). De forma implícita, incentivou a maximização do retorno sobre o tempo investido no ministério, ao dedicar mais tempo aos lugares nos quais o evangelho foi aceito. Suas instruções garantem o maior índice de "almas salvas por hora de ministério" e ajudaram muitos cristãos a evitar jogar pérolas aos porcos.

De maneira semelhante, Paulo sempre apontava os resultados de seu ministério como evidência de sua fidelidade como mordomo da mensagem e da missão que Deus havia lhe confiado no caminho para Damasco. Ele não dizia apenas que se importava muito ou que tinha boas intenções, mas também mostrava resultados tangíveis e o trabalho duro necessário para conquistá-los.[4] A mesma lógica deve se aplicar às doações financeiras no mundo cristão. Sem boa mordomia, podemos acabar doando para ministérios ineficazes por anos a fio, sem jamais tomarmos conhecimento disso!

Um conceito do mundo financeiro que pode ser útil nessa área é a noção de retorno ajustado ao risco. Quando assumimos riscos maiores, a falha também se torna uma possibilidade maior, porém o retorno passa a ser igualmente maior. Nossa equipe está

---

[4] "A fim de garantir que seus esforços valiam a pena e não eram vãos, [seu] trabalho para anunciar o evangelho era mensurado pelo aumento no número de cristãos e pelo desenvolvimento do fruto do espírito nos cristãos (1Ts 2.1; 3.5). Aliás, a saúde da igreja era medida pelo sucesso dessa obra. Paulo escreveu que labutava com o seguinte propósito: 'No dia em que Cristo voltar, me orgulharei de saber que não participei da corrida em vão e que não trabalhei inutilmente' (Fp 2.16)" (David Kotter, *Working for the Glory of God*, tese de doutorado no Southern Baptist Theological Seminary, maio de 2015).

investindo em um projeto de alto risco e com grande chance de falha para anunciar o evangelho. É possível que haja 50% de chance de fracasso total, ou seja, podemos "perder" nosso dinheiro. Contudo, caso tenhamos sucesso, a colheita será tremenda.

Ser anfitrião de um pequeno grupo é um investimento de baixo risco, com retornos modestos. A probabilidade de sucesso é bem alta — é provável que todos cresçam em comunhão e busquem o Senhor juntos, e isso é ótimo. No entanto, também é improvável que dezenas de milhares de pessoas sejam alimentadas, vestidas e conheçam a Jesus como Salvador dessa maneira. Ao fazer investimentos para o reino, precisamos manter em mente o risco de fracasso, nossa tolerância pessoal para riscos e nosso senso de chamado. As iniciativas locais de baixo risco são semelhantes a investir em tesouro direto ou adquirir certificados de depósito bancário (CDB) — e tais investimentos têm um lugar válido na carteira do reino.

Doações de alto risco, de orientação global para missões em terras distantes são semelhantes a investir em uma *start-up* recente. Investidores inteligentes sabem que podem perder tudo, mas aceitam o risco por causa do potencial de benefícios enormes. Esperamos investir tanto em "CDBs" quanto em "*start-ups*" em nossa carreira de doações, com a intenção de manter em mente essa estrutura de risco e retorno em cada circunstância.

Meu pensamento imediato a essa altura da jornada foi fazer uso de ferramentas *on-line* de triagem de instituições de caridade, a fim de pesquisar sua eficácia, eliminando assim a necessidade de mais pesquisa pessoal. Contudo, os especialistas da área com quem conversei foram rápidos em destacar que essas ferramentas de avaliação mal tocam a superfície. Por exemplo, a conhecida agência de avaliação Charity Navigator atribui de zero a quatro estrelas às instituições de caridade com base no desempenho financeiro e na prestação de contas de um ministério. A compreensão dessas categorias é necessária, mas insuficiente.

SERVIR: INVESTIMENTO NA ETERNIDADE POR MEIO DA DOAÇÃO **211**

Imagine uma instituição de caridade que doe dinheiro para pessoas pobres comprarem carros esportivos. Tal organização pode ser extremamente eficiente e transparente, porém uma avaliação de quatro estrelas nessas proporções não nos revela que a estratégia central desse ministério é terrível! De maneira semelhante, uma instituição de caridade com uma equipe administrativa completa e eficaz pode receber notas ruins com base no nível geral, mesmo que a equipe em si esteja conseguindo excelentes resultados diretos. É a pessoa que doa o dinheiro que deve adquirir consciência dessas nuances.

Se a igreja local é nossa opção "padrão" para doações, então as provas necessárias para doar a outras instituições precisam ser relativamente altas. Se doamos fora da igreja, assumimos a responsabilidade de escolher uma boa instituição de caridade ou missão na qual depositamos confiança especial (pense na paixão de Will Pope por bolsas de estudo universitárias em países em desenvolvimento). A igreja local é uma base essencial para toda a obra do reino, pois fornece um lar acolhedor para o crescimento espiritual e a maturidade em cada comunidade. Cada componente do ecossistema de ministérios cristãos tem valor único, porém a igreja local é a pedra fundamental que nunca deve ser financeiramente negligenciada. Brandon Fremont e seu grupo de prestação de contas chegam ao ponto de auditar as tendências de doação uns dos outros. Caso alguém comece a doar menos de 60% do total de suas doações para a igreja local, o grupo considera que se trata de uma bandeira vermelha, que necessita de discussão adicional.

Embora reconheçamos que existem oportunidades maravilhosas para doar a organizações paraeclesiásticas, missões estrangeiras e de desenvolvimento humanitário, seria uma tragédia fazer isso negligenciando a igreja local. Cremos que essa instituição ordenada por Deus merece forte apoio financeiro. Conforme explica Al Mueller, presidente da organização Excellence

212 DEUS E O DINHEIRO

in Giving: "Se você não pode confiar seu dinheiro à igreja, então por que se sente confortável em confiar a ela sua salvação?".

Outro benefício de doar para a igreja local é o custo irrecuperável de seu tempo e relacionamentos ali. Você já fez metade do trabalho de diligência prévia só por estar lá todos os domingos e ler o boletim!

Quando as igrejas se focam de verdade na missão de alcançar o mundo, isso pode levar as doações a um novo patamar. Falei recentemente com o pastor David Self, da Primeira Igreja Batista de Houston, a fim de tentar descobrir como a campanha de doações focada e voltada para missões de 2013 e 2014 levantou mais de 30 milhões de dólares, indo além das tendências anteriores de doações observadas na igreja! Quase metade de todos os doadores desse período de dois anos contribuiu pela primeira vez com a igreja. Perguntei ao pastor Self o que empolgou tanto as pessoas.

Em suma, a igreja ofereceu a oportunidade de se tornar parte de uma missão mais ampla e tornou bem clara essa oportunidade para aqueles que doavam. O pastor explicou: "O foco externo da igreja [...] [se tornou] a força unificadora para a generosidade da comunidade. Quando a igreja lança uma visão, as pessoas são despertadas para a oportunidade. Tudo está ligado ao evangelismo, à missão". As mensagens da campanha deixavam claro que todas as contribuições seriam 100% dedicadas à missão: na cidade de Houston, nos Estados Unidos e pelo mundo afora.

Hoje, cerca de metade do orçamento geral daquela igreja é voltado para missões. Cremos que se trata de um exemplo inspirador de como uma igreja pode despertar a generosidade no meio de sua congregação, abrindo espaço para um novo foco missionário dentro do orçamento, o qual, por sua vez, alimenta doações adicionais. É um ciclo virtuoso doador de vida. Embora seja possível que muitos membros da igreja jamais dediquem tempo para ir pessoalmente em busca de suas áreas de interesse para doar, caso a igreja lance uma visão atraente, esses indivíduos podem se sentir inspirados a participar. O pastor titular, Gregg Matte, está lançando um livro sobre tudo que aprenderam, chamado *Unstoppable Gospel*, que já estará disponível quando você estiver lendo este material.[5] Mal podemos esperar para tê-lo em mãos.

Se você tem dúvidas se sua igreja está alcançando o máximo de R_{ROI}, talvez exista a chance de se envolver de maneira construtiva, a fim de ajudar a moldar o direcionamento das atividades de ministério. Criticar é fácil. É bem mais difícil, porém mais frutífero, engajar-se e ajudar, desde que a equipe de liderança de sua igreja seja receptiva. Apenas mudar de igreja é a solução fácil e provavelmente a pior maneira de resolver o problema. A igreja da qual você sai fica privada dos talentos na área de mordomia que Deus lhe deu. Nenhum pastor ou equipe de liderança são perfeitos, mas devemos lhes estender graça pelos esforços de liderar com fidelidade o povo de Deus. Ao abordar o assunto com humildade, respeito e disposição para aprender, podemos deixar um legado produtivo e útil na mordomia de nossa igreja e no uso dos recursos que a ela confiamos.

Quando doamos para fora da igreja local, fazer uma boa diligência prévia é ainda mais importante, considerando que talvez não saibamos nada sobre a instituição de caridade antes de preencher um cheque de doação. Ninguém deve investir em um fundo mútuo somente porque contém títulos e ações, pois esse fato em si não revela nada sobre a estratégia, as taxas etc., dentro do fundo. Tampouco devemos ajudar uma instituição de caridade tão somente porque ela faz um trabalho cristão. A instituição sobre a qual você ouviu falar ou para a qual um amigo doa pode ou não ser a mais eficaz em sua área de atuação e pode ou não estar alinhada com sua visão pessoal.

---

[5] Gregg Matte, *Unstoppable Gospel: Living Out the World-Changing Vision of Jesus's First Followers* (Ada, MI: Baker, 2015).

Um recurso que gostaríamos de destacar, para ajudá-lo a realizar uma análise mais profunda, é o serviço *on-line* Intelligent Philanthropy (<www.intelligentphilanthropy.com>). Ele faz uma triagem muito mais detalhada das instituições de caridade do que outros portais da internet, cobrando uma taxa modesta dos membros. Como membro, você pode solicitar a análise da instituição de caridade que quiser, caso ela ainda não esteja disponível. Trata-se, na verdade, de uma versão terceirizada eficaz da equipe de atendimento das fundações, uma solução excelente para profissionais ocupados que desejam doar com eficiência.

À medida que escutávamos cada vez mais histórias, percebemos que os princípios da doação eficaz devem se aplicar a todos os tipos de contribuição, não só às doações a igrejas e instituições de caridade que podem ser deduzidas do imposto de renda. As doações a filhos adultos e outros parentes devem ser feitas a fim de possibilitar o desenvolvimento e a independência, em vez de promover a dependência ou aumentar a sensação de vergonha por receber ajuda. Quem recebe ajuda honra o evangelho? Você sente o desejo pessoal de destinar seus recursos escassos a essa pessoa? Você acha que a oferta será eficaz no curto e no longo prazo? Um ciclo de aprendizado intencional, de busca da verdade, garantirá que as doações feitas dentro da família atendam a propósitos úteis. Lembre-se da lição aprendida com *When Helping Hurts*: o desenvolvimento é o objetivo final, por isso distribuir pequenas doações de alívio a esmo promoverá a dependência, em lugar do crescimento.

Brandon Fremont, que sustenta os sogros idosos, viu-se recentemente em uma situação difícil na esfera familiar. Seu cunhado desocupado sempre lhe pedia dinheiro, mas ainda precisava dar ouvidos ao conselho bíblico de colocar a vida no rumo certo e era viciado em drogas. Brandon sempre tinha de negar-lhe o pedido, oferecendo-se para ajudá-lo de outras maneiras — ajuda pela qual o cunhado jamais demonstrou interesse.

Há um ano, Brandon ficou sabendo que seus sogros estavam dando dinheiro para o filho, incapazes de resistir aos pedidos insistentes. Como era Brandon quem os sustentava, ficou frustrado ao perceber que agora estava subsidiando um relacionamento pecaminoso e dependente. Precisou confrontar os sogros com delicadeza, dizendo que retiraria o apoio financeiro caso não parassem de dar dinheiro para o filho. Felizmente, a situação foi resolvida de forma amigável. Sem a ajuda financeira, bastaram duas semanas para o cunhado concordar em ir para um centro de reabilitação. Desde então, ele entregou a vida a Cristo e está sóbrio há quase um ano. Não importa se destinada a família, igreja ou instituições de caridade, a doação deve ser feita de olho atento na eficácia.

Por fim, alguns de nossos entrevistados contaram que, à medida que a vida segue, provavelmente haverá momentos em que você retirará o apoio financeiro dado a um ministério. Fazer isso com gentileza e abertura é bem melhor que cortar o contato de uma hora para a outra. Assim como incentivos de aposentadoria são bem melhores que demissões em massa, apresentar a má notícia com polidez pode tornar a vida de todos mais fácil. Quando possível, comunicar sua decisão com antecedência e fazer a retirada do auxílio de forma gradual são atitudes que dão tempo para que a organização encontre um patrocínio substituto.

A MECÂNICA FINANCEIRA DE DOAR

Gostaríamos de encerrar esse debate sobre eficácia abordando algumas questões táticas relacionadas a doar. Manter um registro das doações pode ser um grande desafio quando se auxilia diversas instituições. Muitas pessoas com quem conversamos acham conveniente doar por meio de um fundo orientado por doadores, como o oferecido pela National Christian Foundation. Cobrando uma taxa administrativa de 1% ao ano ou menos (dependendo do capital envolvido), esse fundo guarda seu dinheiro destinado a doações até você dar instruções de como eles devem ser usados. Você pode preencher um cheque para o fundo no dia 1º de janeiro e, para fins de tributação, suas doações de caridade para o ano inteiro terminaram. Mas o dinheiro só é desembolsado posteriormente, à medida que você dá as instruções de como fazê-lo.

Além disso, é importante maximizar o total que chega à igreja ou à instituição de caridade que você apoia. É prudente utilizar totalmente qualquer programa corporativo de equiparar a doação que sua empresa disponibilize. Na Chevron, empresa na qual John trabalhava, até dez mil dólares em doações eram equiparados pela empresa com o mesmo valor. Minha esposa e eu lançamos mão dessa oportunidade para ajudar a custear o cuidado com os órfãos no exterior pela metade do preço!

Além disso, de modo geral, recomendamos não usar cartão de crédito para doar sempre que for possível evitar, uma vez que a organização recebedora só fica com cerca de 97 a 98% da doação, por causa das taxas. A descoberta desse fato foi um pouco dolorosa para mim, já que eu tinha altas expectativas quando ao número de pontos no cartão de crédito que eu poderia ganhar com o padrão arrojado de doações que pretendo adotar no futuro! Carrancudo, precisei admitir que um cheque é melhor, pois garante que 100% do dinheiro chegue exatamente aonde tem de chegar.

Vale a pena falar um pouco sobre impostos. Com frequência, reclamamos de precisar enfrentá-los, mas Ron Blue gosta de lembrar às pessoas que "os impostos são sintomas de provisão". Quando pagamos imposto de renda, podemos agradecer a Deus por nos colocar em uma condição com tamanha fartura de provisão que a Receita Federal se interessa por nós. Dito isso, podemos minimizar nossas obrigações por meio das ferramentas disponíveis. A doação de bens valorizados pode ser um ótimo benefício fiscal, pois você recebe baixa contábil pelo valor apreciado, sem precisar pagar impostos sobre os ganhos

SERVIR: INVESTIMENTO NA ETERNIDADE POR MEIO DA DOAÇÃO **217**

de capital. Os advogados da National Christian Foundation são especialistas em ajudar a transformar imóveis, ações e itens de colecionador em doações de caridade com benefício fiscal para o reino.

Além disso, Alan Barnhart recomenda que os doadores de alta renda "se unam ao clube dos 50% tão logo seja humanamente possível". A receita norte-americana permite o abatimento de 50% das doações de caridade de sua renda tributável e, caso você deixe de fazer uso desse benefício em determinado ano, a oportunidade se vai para sempre. O dinheiro gasto com impostos não pode ser recuperado e poderia ter sido destinado a causas do reino. Conhecemos muitos cristãos abastados que consideram a doação de 50% seu patamar mínimo por causa dessa lógica.

Por fim, se você tem condições de doar de cinco a seis dígitos por ano, ou até mais, pode valer a pena entrar em contato com sua igreja ou instituição de caridade para ver se suas doações podem causar um impacto estratégico, além de simplesmente contribuir de forma genérica. No que diz respeito a instituições de caridade, *Give Smart* destaca que os doadores muitas vezes negligenciam as alternativas mais simples, na esfera das despesas operacionais. As despesas operacionais não são um mal nas organizações sem fins lucrativos. Trata-se apenas de uma realidade neutra. Uma equipe administrativa com recursos suficientes pode se beneficiar muito de doações que lhes permitam criar um plano de negócios de qualidade, ou contratar um chefe de operações etc. Digamos que você invista 100 mil dólares em funcionários e capacidade de planejamento de uma organização sem fins lucrativos de 10 milhões de dólares, permitindo que ela se torne 5% mais eficiente. Em tese, esse investimento produz 500 mil de valor para apenas 100 mil de entrada — um R_{ROI} muito alto. A maioria das pessoas deseja ver cada centavo doado ser usado diretamente na implementação do programa, mas quando prestamos atenção a cada item do orçamento de uma organização sem fins lucrativos, podemos descobrir oportunidades criativas para agregar valor.

Apresentamos muitas informações. Talvez o bastante para revelar nossa condição vergonhosamente amadora no domínio das doações eficazes. E, no entanto, mal arranhamos a superfície do pensamento moderno sobre filantropia eficaz. Sem dúvida, seria impossível tornar-se um excelente servo na área financeira de um dia para o outro. Assim como qualquer outra habilidade humana, tornar-se um doador muito eficaz é uma jornada para toda a vida, então nada melhor que começar a acumular nossas dez mil horas a partir de agora.[6]

Se o objetivo é correr uma maratona, o novato não deve ser desencorajado caso não consiga completar quinze quilômetros no primeiro treino. (Pessoalmente, sinto-me como o doador que fica sem fôlego antes de terminar o primeiro quilômetro!) De maneira semelhante, devemos permitir que nossas doações sejam uma jornada de crescimento que comece com passos pequenos. Inicie com foco no evangelho, então aperfeiçoe-se nas áreas pelas quais sente paixão especial e, por fim, esforce-se para extrair o máximo de eficiência. Nenhum de nós dominará esses três elementos desde o primeiro dia, mas podemos entrar de cabeça mesmo assim e começar.

Uma última observação: quando *não* devemos doar?

Jesus é claro ao ordenar a generosidade. Mas existiria alguma ocasião em que devemos *nos abster* de doar? Em Mateus 5.24, Jesus diz: "Deixe sua oferta ali no altar. Vá, reconcilie-se com a pessoa e então volte e apresente sua oferta". Em Lucas 11.42, ele

---

[6] No livro Fora de série: *Outliers* (Rio de Janeiro: Sextante, 2013), Malcolm Gladwell postula a "regra das dez mil horas", dizendo que as grandes realizações não nascem por acaso, mas sim são conquistadas por meio de muita prática e dedicação.

adverte os fariseus: "Que aflição os espera, fariseus! Vocês têm o cuidado de dar o dízimo da hortelã, da arruda e de todas as ervas, mas negligenciam a justiça e o amor de Deus. Sim, vocês deviam fazer essas coisas, mas sem descuidar das mais importantes". Esses versículos destacam que, embora demonstrar generosidade seja uma disciplina espiritual elementar, cumpri-la está subordinado à manutenção de um relacionamento correto tanto com o Senhor quanto com os outros seres humanos. Deus é relacional, não transacional, e deseja que nosso coração esteja em dia com ele e com os outros antes de receber nossas doações. Percebemos, nessas passagens, que dar ofertas a Deus enquanto nutrimos pecados em nossa vida dos quais não nos arrependemos é, na verdade, uma desonra a ele. O Senhor deseja que sejamos generosos, mas somente pelo motivo certo: honrá-lo e servir os outros.

COMO COLOCAR A ESTRUTURA EM AÇÃO:
ALIANÇAS PESSOAIS DE GENEROSIDADE

Depois que desenvolvemos a estrutura baseada em pesquisa e observação de famílias muito generosas, reconhecemos a necessidade de condensar o que aprendemos em um documento de fácil consulta que pautaria a vida de nossa família. Assinar o nome em algo também acrescenta um novo nível de compromisso — algo que apenas pensar em várias ideias não traz. Foi assim que nasceu a Aliança de Generosidade. As famílias Baumer e Cortines sentaram-se individualmente e escreveram o cerne de nossos planos para sermos servos de Cristo na área financeira.

A Aliança de Generosidade de Greg e Alison é mostrada nas páginas a seguir, na esperança de que se torne um exemplo útil que outras famílias podem escolher seguir. (Tanto esse documento quanto a Aliança de Generosidade da família Cortines se encontram disponíveis no *site* <GodandMoney.net>). A beleza desse documento é que ele consiste em uma expressão viva da alegria que

Cristo tem nos dado em nossa vida financeira. Em vez de ser um contrato restritivo, trata-se de uma forma libertadora de expressar exatamente qual é nossa condição diante do Senhor.

ALIANÇA DE GENEROSIDADE DA FAMÍLIA BAUMER – 2016

Filosofia de mordomia

Ó Senhor, a ti pertencem a grandeza, o poder, a glória, a vitória e a majestade. Tudo que há nos céus e na terra é teu, ó Senhor. [...] Riqueza e honra vêm somente de ti, pois tu governas sobre tudo. [...] Ó nosso Deus, damos graças e louvamos teu nome glorioso!
Rei Davi, em 1Crônicas 29.11-13

Deem e receberão. Sua dádiva lhes retornará em boa medida, compactada, sacudida para caber mais, transbordante e derramada sobre vocês. O padrão de medida que adotarem será usado para medi-los.

Jesus, em Lucas 6.38

Sua grande alegria e extrema pobreza transbordaram em rica generosidade. Posso testemunhar que deram não apenas o que podiam, mas muito além disso, e o fizeram por iniciativa própria. Eles nos suplicaram repetidamente o privilégio de participar da oferta ao povo santo.

Paulo, em 2Coríntios 8.2-4

Meu serviço não será julgado pelo que fiz, mas pelo que eu poderia ter feito.

A. W. Tozer

A família Baumer honrará o Senhor com a riqueza que ele nos der. Confessamos que Deus é soberano sobre nossa capacidade de gerar renda e que todas as nossas posses pertencem, na verdade, ao Senhor. Comprometemo-nos a servir como mordomos fiéis ao administrar ativamente e com responsabilidade essas bênçãos para os propósitos divinos. Adotaremos uma mentalidade de fartura em relação à nossa riqueza, agindo como servos, não como poupadores ou gastadores. Viveremos dessa maneira em gratidão a Cristo pelo dom da salvação que ele nos oferece mediante sua graça.

Gastos: estratégia e linha de chegada

Reconhecemos que todos os nossos recursos pertencem verdadeiramente a Deus. Logo, comprometemo-nos a analisar com atenção a justificativa por trás de nossas escolhas de consumo. Nosso princípio orientador será fazer com que todos os gastos sejam "doadores de vida". Na prática, isso significa desfrutar as bênçãos divinas para a prosperidade humana (p. ex., investir em relacionamento, boa comida, viagens, educação, ministério, artes, esportes etc.), e, ao mesmo tempo, viver com menos do que ganhamos, evitando todas as dívidas além do financiamento imobiliário e do empréstimo estudantil.

Nossa linha de chegada atual é de 100 mil dólares com as despesas da família ao longo do ano. Esse valor é mais do que poderíamos gastar responsavelmente, levando em conta nossos empréstimos estudantis a quitar e a necessidade de poupar para dar entrada em uma casa própria, faculdade para os filhos etc. Temos a expectativa de gastar por volta de 80 mil dólares no ano que vem.

Poupança: estratégia e linha de chegada

Reconhecemos a soberania divina sobre nossa capacidade de juntar economias. Se abençoados com a habilidade de acumular riqueza, pouparemos até cobrir o básico, que inclui um fundo para emergências, a posse de uma casa confortável e de veículos em bom estado, a poupança para a faculdade dos filhos e um bom andamento quanto às economias para a aposentadoria. No entanto, o acúmulo de riquezas jamais ficará na frente da nossa linha base de doações (ver próxima seção).

Nós nos esforçaremos para reduzir o patrimônio líquido por meio de doações arrojadas, caso algum dia tenhamos mais do que necessitamos para obter independência financeira. Se estivermos entre o básico e a independência financeira, precisaremos tomar uma decisão bem pensada se acumularemos mais riqueza ou a desembolsaremos para apoiar os objetivos de doação do reino, seguindo a orientação de conselheiros cristãos sábios.

Nas condições atuais, o básico requer cerca de 1 milhão de dólares para nossa família, ao passo que a independência financeira requer cerca de 4 milhões de dólares. No momento, temos mais de 150 mil dólares em dívidas estudantis e também estamos economizando para dar entrada na casa própria, por isso planejamos acumular poupança no curto prazo. (Esses valores foram calculados usando a planilha de linha de chegada da riqueza pessoal, disponível no *site* <GodandMoney.net>.)

Serviço: estratégia

Sempre doamos no mínimo 10% da renda bruta, sob quaisquer circunstâncias. Neste ano, nossa meta é equilibrar a necessidade de juntar para conquistar o básico com o desejo de doar com generosidade. Nosso alvo é doar 15% da renda bruta.

Nossos objetivos de doação para este ano incluem apoiar:

- Nossa igreja local (cerca de 60% das doações).
- Doação em grupo: tradução da Bíblia (cerca de 20%).
- Missões locais: InterVarsity, relacionamentos pessoais com organizações missionárias e obreiros individuais do reino (cerca de 15%).
- Missões globais: World Vision (cerca de 5%).

Nós nos comprometemos a cumprir nosso papel de mordomos de Deus tentando maximizar o R_{ROI} gerado por nossas doações por meio de oração e investimento pessoal de tempo e habilidades, além do dinheiro.

Procuraremos desenvolver a ambição por doar, baseada na gratidão pelas dádivas que Cristo nos oferece. Isso significa nos esforçar para doar cada vez mais, a fim de ajudar o reino de Deus e desfrutar suas bênçãos.

Transparência e prestação de contas

Estamos comprometidos com a transparência radical. Levando em conta a depravação do coração humano e o caráter enganoso das riquezas, essa é uma área que não estamos dispostos a administrar sozinhos.

Enviaremos um relatório anual de mordomia a nosso grupo de conselheiros e pediremos um parecer. O relatório e o plano do ano passado foram entregues e a versão deste ano será enviada ao final do ano calendário.

Quaisquer alterações em nossas linhas de chegada ou estratégias estão sujeitas a revisão por parte dos parceiros de prestação de contas.

Outras considerações

- Continuar a estudar a Palavra de Deus e orar com regularidade, a fim de adquirir sabedoria a respeito de nossa mordomia.
- Ter seguro de vida, invalidez e saúde, a fim de evitar perdas catastróficas.
- Envolver nossos filhos no processo de doação à medida que eles crescem.

Compromisso

Este é um documento vivo, a ser seguido no decorrer da nossa vida. Comprometemo-nos com os princípios supracitados, para a glória de Cristo, nosso Salvador!

_____

Greg Baumer

_____

Alison Baumer

PARTE III

PASSE ADIANTE

9

MORDOMIA NA COMUNIDADE

*Ficamos surpresos ao ver a força que um testemunho
de doação pode ter para os descrentes e até para outros
cristãos. As pessoas nos dizem: "Vocês são doidos!".*

BRETT E CHRISTY SAMUELS

Viver em comunhão com outros cristãos é crucial para o desenvolvimento da fé pessoal. "Portanto, animem e edifiquem uns aos outros, como têm feito" (1Ts 5.11). "É melhor serem dois que um, pois um ajuda o outro a alcançar o sucesso. [...] Uma corda trançada com três fios não arrebenta facilmente" (Ec 4.9,12). "Como o ferro afia o ferro, assim um amigo afia o outro" (Pv 27.17).

Muitas igrejas são excepcionais em desenvolver uma comunidade animada, doadora de vida, que apoia e alimenta a fé individual. Minha esposa e eu (Greg) nos sentimos abençoados por fazer parte de um incrível pequeno grupo de estudo da Bíblia, junto com mais cinco casais ao longo dos quatro anos que vivemos em Boston. Desenvolvemos um relacionamento bem próximo com esses amigos durante esse tempo. Compartilhamos as aventuras da vida, tanto as boas quanto as ruins. Celebramos promoções no trabalho e o nascimento de lindos filhos, oramos pela cura de complicações graves de saúde e apoiamos uns aos outros durante períodos difíceis no casamento. Comemos juntos, servimos juntos, oramos juntos e até já tiramos férias juntos!

Contudo, a despeito da intimidade do grupo, há um assunto que jamais debatemos em quatro anos: nossas finanças. Não sei nada acerca da fidelidade deles na mordomia cristã, seus hábitos de consumo e economia, ou da visão que têm acerca de honrar a Deus

228   DEUS E O DINHEIRO

com sua riqueza e doações. Por que isso acontece? Considerando a importância clara da administração de nosso dinheiro aos olhos de Deus, por que falamos tão pouco sobre ele? Shira Boss, autora de *Green With Envy*, chama essa questão de "tabu do dinheiro":

> O fato de que [os cristãos] não podem falar sobre as finanças está nos fazendo entrar em enrascadas. [...] Entrevistei uma família que tinha contraído quase cem mil dólares de dívidas no cartão de crédito e foi à falência. Eles estavam envergonhados demais para contar sobre o trauma a algum amigo ou familiar. E o pior: sentiam que não podiam se abrir com o pastor, nem com nenhum dos outros casais bem próximos do grupo semanal de estudos da Bíblia. "Não queremos que as pessoas nos olhem diferente", a esposa me contou. [...] Como um psicólogo explicou: "O tabu do dinheiro é um problema psicológico grave, pois, embora não conversemos abertamente sobre dinheiro, ele é uma das maiores preocupações para quase todo mundo nos Estados Unidos".[1]

O "tabu do dinheiro" se estende além de exemplos de perigo financeiro como o descrito por Boss. Como nós, cristãos, estamos incentivando uns aos outros na área da generosidade? A verdade é que não estamos. As Escrituras, porém, pintam um retrato claro do que significa viver em comunidade no que diz respeito às finanças. O texto de Atos 2.42-47 demonstra que a abertura acerca da nossa mordomia pode ser um impulso importante para uma comunidade cristã alegre e doadora de vida. Não estamos argumentando que os cristãos devem necessariamente ter tudo em comum, mas sim que compartilhar nossos hábitos de mordomia pode permitir que desenvolvamos o coração generoso e alegre de nossos irmãos e irmãs em Cristo que viviam em Jerusalém no primeiro século.

---

[1] Shira Boss, "It's Time to Break the Money Taboo", <http://www.beliefnet.com/News/Money/Its-Time-To-Break-The-Money-Taboo.aspx?p=1>. Acesso em 27 de maio de 2019.

MORDOMIA NA COMUNIDADE **229**

Com base em nossa pesquisa, cremos que a mordomia generosa se faz melhor em comunidade. Neste capítulo, destacamos várias estratégias específicas para o desenvolvimento de uma mentalidade mais voltada para a comunidade no que diz respeito a nossa riqueza e prática de doação.

TRANSPARÊNCIA FINANCEIRA EM AÇÃO

O autor de Hebreus diz: "Nada, em toda a criação, está escondido de Deus" (4.13). Muitas das famílias generosas com quem conversamos fazem uso de algum modelo de transparência financeira, e todas contam que essa foi uma das melhores decisões que tomaram, tanto na esfera espiritual quanto financeira. A seguir encontram-se três estratégias para incorporarmos a transparência financeira em nossa vida pessoal.

Publique um relatório financeiro anual

Há vários anos, Brett e Christy Samuels publicam um relatório financeiro anual e o compartilham com um grupo íntimo de amigos, mentores e conselheiros. O relatório inclui os objetivos de gastos, poupança e serviço para o ano, uma análise do desempenho real desses objetivos e a declaração de metas para o ano seguinte. O relatório inclui detalhes de consumo em categorias-chave, um histórico simplificado de orçamentos e números de patrimônio líquido, bem como uma análise das doações, que inclui tanto o total doado quanto os destinatários do dinheiro. Depois disso, o casal conversa com cada conselheiro acerca do relatório.[2]

---

[2] Note que os Samuels precisam manter um registro preciso de suas finanças a fim de elaborar o relatório anual. Muitas famílias cristãs não anotam seus gastos, economias ou doações. Cremos que um componente necessário da mordomia consiste em prestar contas das bênçãos que Deus nos dá. Como você se sentiria caso ligasse para seu gerente financeiro a fim de conferir como andam seus investimentos e ele respondesse: "Não se preocupe! Está tudo crescendo! Não precisa se incomodar em saber onde o dinheiro está investido e quanto

Compartilhar suas finanças dessa maneira tem sido extremamente recompensador para o casal. Christy diz que "só há benefícios em nosso coração por sermos transparentes. Começamos a nos sentir mais empolgados em incentivar os outros a fazer o mesmo".

Brett diz que a chave para o sucesso é escolher bons conselheiros. Ele recomenda "selecionar pessoas com quem você interage ativamente em comunidade. Não só todos os seus velhos amigos, mas pessoas que veem como você está vivendo todos os dias. Além disso, escolha pessoas que também pensam sobre esse tipo de coisa e que podem dar um bom *feedback*. Não é necessário que sejam especialistas em finanças. Nós escolhemos alguns pastores — eles fazem excelentes perguntas. Também selecionamos pessoas de várias faixas etárias e situações de vida. Dá para reunir mais sabedoria dessa maneira". O casal também recomenda garantir que os conselheiros estejam comprometidos com o processo. "Eles vão se envolver de verdade e não só consumir? Não deixe de definir bem as expectativas." Por fim, certifique-se de definir objetivos claros para a mordomia. Somente por meio de objetivos claros para gastar, poupar e servir seus conselheiros conseguirão ajudá-lo de verdade a prestar contas e oferecer reflexões ou recomendações úteis.

Os Samuels ficam surpresos com o tipo de conselho que recebem. Por exemplo, houve um ano em que reduziram o consumo de forma significativa a fim de poupar mais dinheiro. Ao ler o relatório financeiro, o pastor do casal perguntou: "Por que vocês gastam tão pouco com entretenimento? Vocês estão cuidando bem do casamento ao gastar tão pouco?". Esse foi um bom lembrete para eles de que o objetivo da transparência financeira não é colocar em vigor uma espécie de frugalidade piedosa. Não se

valorizou!"? Ferramentas simples como os *apps* Mint ou QuickBooks são ótimas maneiras de controlar mais de perto sua mordomia.

trata de inquisição sobre os hábitos de consumo de uma família. Em vez disso, diz respeito ao reconhecimento do papel que o dinheiro desempenha em nossa fidelidade a Cristo em todas as áreas da vida, usando a sabedoria de outros cristãos a fim de aperfeiçoar nossa maneira de glorificar a Deus com nossos recursos.

Crie uma diretoria pessoal

Will Pope, proprietário da empresa de petróleo e gás natural da cidade de Oklahoma, confia em um grupo íntimo de conselheiros cristãos para orientar sua mordomia. A "diretoria" de Will é formada por empresários cristãos bem-sucedidos. De maneira semelhante a uma diretoria corporativa, a diretoria de Will define qual será seu salário anual. Os conselheiros também o ajudam a tomar decisões financeiras difíceis e o aconselham quanto à administração de sua linha de chegada de riqueza pessoal. Muitos membros da diretoria de Will lançam mão de uma estratégia semelhante com o mesmo grupo. Eles se reúnem pelo menos uma vez por trimestre, em geral na casa de um dos membros. O grupo se tornou bem próximo com o tempo, e agora oferecem conselhos espirituais importantes uns para os outros a respeito de uma ampla gama de desafios da vida, que vão muito além da riqueza e do dinheiro.

Tivemos a grande bênção de formar um grupo semelhante com sete famílias na Harvard Business School, com o compromisso coletivo de prestação de contas e incentivo no longo prazo. Embora só estejamos juntos há um ano, já recebemos benefícios tremendos por ter uma Diretoria de Vida a quem chamar quando precisamos de muita sabedoria ou ao enfrentar uma decisão importante. Os sete homens fazem uma teleconferência por mês para ver como todos estão e para fazer perguntas sobre fé e disciplina espiritual, questões familiares, desenvolvimento da carreira e responsabilidade financeira. Também fazemos o esforço conjunto de ligar, mandar *e-mail* ou mensagem no celular uns para os outros ao longo do mês, com o intuito de encorajar e orar ou pedir conselho. John e eu aproveitamos a sabedoria coletiva do grupo a fim de obter conselhos sobre decisões difíceis na carreira nos primeiros meses após terminar a pós-graduação.

No último outono, fizemos a primeira reunião anual da nossa Diretoria de Vida. Ficamos três dias reunidos na cidade natal de um dos membros. Passamos metade do tempo juntos fazendo uma detalhada "análise de desempenho" da vida de cada um. Tais encontros não são difíceis ou incômodos; pelo contrário, damos apoio, encorajamento e oramos uns pelos outros, a fim de capacitar cada um a ser um melhor esposo, pai, trabalhador e, acima de tudo, servo de Deus. Estávamos sentados ao redor da mesa, quando um deles comentou: "Acho que este é um gostinho de como será o céu, dando o melhor para glorificar cada vez mais a Deus, em comunidade íntima com pessoas que nos conhecem bem". Passamos a outra metade do tempo fazendo coisas de "homem": churrasco, esportes, caça, pilotar quadriciclos, nos gabar de nossa proeza atlética durante o ensino médio etc. — todas as atividades que homens gostam de fazer para criar um vínculo mais forte! Nosso objetivo é alternar, a cada dois anos, entre reuniões anuais só para os homens e para toda a família, a fim de garantir que as esposas e os filhos também vivenciem essa comunidade cristã extraordinária que Deus proporcionou por meio desse grupo.

Partilhe com sua comunidade

Brandon Fremont, o administrador de um fundo de investimento livre em Chicago, depende de sua "comunidade" (ou seja, seu pequeno grupo da igreja) para obter sabedoria na mordomia das finanças. Seu grupo tem uma política de 100% de transparência no que diz respeito a gastar, poupar e servir. O grupo testa o processo de pensamento de cada membro, para entender para onde e por que está doando e incentiva cada um a fazer escolhas sábias de consumo. Por exemplo, Brandon aconselhou um membro de sua comunidade a abrir mão da compra de uma nova

MORDOMIA NA COMUNIDADE **233**

casa que apertaria muito as finanças da família. Mais uma vez, porém, o propósito da prestação de contas financeira não é impor uma frugalidade falsamente piedosa. Em vez disso, trata-se de incentivar uns aos outros no caminho da mordomia fiel. Por exemplo, certa vez, o grupo aconselhou Brandon a não comprar um carrinho de golfe de dois mil dólares que ele estava pensando em adquirir, mais como um brinquedo. No grande plano da mordomia de Brandon, dois mil dólares é uma quantia relativamente insignificante. Mas ele apreciou o conselho do grupo. "Poupar os dois mil dólares do carrinho de golfe me pareceu o caminho da fidelidade", ele explica.

Brandon também reflete sobre o valor imenso de ter pessoas da *comunidade próxima* com conhecimento de suas finanças. "Seria fácil encontrar um amigo a quinhentos quilômetros de distância para justificar seu estilo de vida. Mas estamos falando em caminhar com fidelidade e em ser desafiado, não em buscar o conforto daqueles que se parecem com você e não enxergam sua vida cotidiana."

Todas essas estratégias para introduzir transparência financeira trazem consigo certo nível de risco e vulnerabilidade. Abordar um tema tão sensível dentro de sua comunidade ou pequeno grupo pode parecer difícil demais — mesmo que, em outros aspectos, sua comunidade seja muito revigorante para sua fé. Quando me sinto assim, lembro-me de como fui influenciado pela indisposição de nossa cultura em falar sobre finanças (o "tabu do dinheiro"). Não existe nenhuma razão inerente para manter as conversas sobre dinheiro em particular dentro da igreja, conforme vimos em Atos 2. As desculpas que costumamos dar para não falar sobre dinheiro — orgulho, inveja e direito individual de privacidade — são mais um motivo para realmente aderirmos à transparência! Somos incentivados a sermos transparentes com os amigos cristãos em muitas outras áreas da vida. Por que não sermos transparentes também na esfera financeira?

Doação em comunidade

Em geral, a mordomia é vista como uma responsabilidade pessoal. De diversas maneiras, isso faz sentido. A maioria de nós recebe um salário individual e precisa pensar em como destinar essa renda individualmente ou junto com o cônjuge, caso seja casado. Ao mesmo tempo, há grande poder em fazer as coisas em grupo. Pense no louvor congregacional: os hinos têm um som *bem* melhor quando todos cantam do que se eu fosse cantar sozinho!

O mesmo pode se aplicar às doações. O poder da doação em comunidade é demonstrado em Atos 2 e reiterado por Paulo quando ele fala aos coríntios sobre a doação dos macedônios à igreja de Jerusalém, em 2Coríntios 8. Cremos que existe uma oportunidade significativa de gerar mais R_{ROI} por meio da doação em comunidade na igreja atual. Seguem-se três ideias de como isso pode funcionar em sua comunidade.

Doações em grupo

Matt Mancinelli é responsável pela proposta de valor ao funcionário nas áreas de estratégia e voluntariado da organização Generous Giving. Há vários anos, ele e três amigos da faculdade têm contribuído com um projeto de tradução da Bíblia para um novo idioma que dará a missionários a possibilidade de ensinar o evangelho para um grupo linguístico ainda não alcançado. O custo total do projeto é de 80 mil dólares, bem além do que qualquer indivíduo do grupo de Matt poderia contribuir por conta própria. No entanto, ao combinar seus esforços, Matt e os amigos conseguiram patrocinar um projeto tão relevante.

John e eu estamos usando uma estratégia semelhante com nosso grupo de amigos de Harvard. As sete famílias concordaram em destinar parte de suas doações anuais para um fundo conjunto que será doado em bloco todos os anos. Planejamos fazer isso juntos por anos ou até décadas, aprendendo e ajustando nosso modelo de doação ao longo do tempo. Podemos fazer muito mais e aprender muito mais em um grupo de catorze pessoas do que qualquer casal seria capaz por conta própria. As ideias em potencial incluem patrocinar famílias nativas em países de baixa renda, custear as operações de um orfanato inteiro, prover recursos para o discipulado de crianças, tendo em vista o desenvolvimento econômico de longo prazo, ou oferecer bolsas de estudo para seminaristas em países com carência de pessoas que ensinem a Bíblia. Todos esses projetos seriam grandes demais para qualquer uma das famílias custear de maneira individual, mas estamos animados para realizar um ou mais em grupo.

As doações em grupo apresentam benefícios que vão além de gerar mais R_{ROI}. Quando um grupo de amigos investe em algo em conjunto, todos pensam e conversam sobre o assunto com maior frequência. Pense, por exemplo, nos torcedores de algum time profissional. Nesse caso, saber que nossos amigos também estão envolvidos no projeto nos leva a falar e orar sobre ele com mais frequência. Não importa qual projeto escolhamos apoiar, ele também servirá como um grande catalisador para nosso grupo de amigos passar tempo juntos — algo que se torna cada vez mais difícil de fazer ao longo do tempo.

Embora creiamos que doações em grupo ofereçam muitas vantagens, também queremos deixar claro que tais iniciativas não devem ocorrer de uma forma que deixe de apoiar a igreja e a comunidade local. Aliás, o apoio à igreja local é a maior expressão de iniciativa de "doação em grupo".

Ministério de doação financeira em igrejas locais

Edward e Katherine Heath, de Orange County, acreditam que seu dom espiritual é doar com generosidade, com base em Romanos 12.6-8: "Deus, em sua graça, nos concedeu diferentes dons. [...] Se for o dom de contribuir, dê com generosidade".

236 DEUS E O DINHEIRO

Os Heath pensaram que deveria haver um ministério em sua igreja local especificamente destinado a pessoas cujo dom espiritual é doar. Por isso, fundaram a Equipe do Legado, cuja missão é "servir a igreja com o dom da doação". A Equipe do Legado "é uma oportunidade para aqueles que foram chamados e equipados para financiar o reino de Deus e deixar um legado. Esse time investe em projetos estratégicos em nossa igreja, cidade, estado, nação e em oportunidades no mundo inteiro". Além disso, o ministério também fornece instrução acerca do que Deus diz sobre doar com generosidade e treinamento acerca de como doar com eficácia. Embora ainda seja relativamente novo, o ministério já doou profusamente para um orfanato no México apoiado financeiramente pela igreja e contribui com outros quatro projetos, que variam desde o desenvolvimento da infraestrutura da igreja a esforços missionários internacionais.

A Equipe do Legado não se limita, de maneira nenhuma, aos membros abastados da igreja. O convite para o grupo diz o seguinte: "Quem pode fazer parte da Equipe do Legado? Qualquer um que sinta o chamado de doar além do dízimo. Não existe um valor específico [exigido] porque consideramos qualquer montante precioso e de valor. A igreja não deve ser edificada com os dons e talentos de poucos, mas sim com o sacrifício de muitos". Edward conta que a maioria dos membros iniciais da equipe é formada por empresários, mas a visão é expandir substancialmente o grupo ao longo do tempo.

O envolvimento dos membros da Equipe do Legado vai muito além de apenas preencher cheques. Por exemplo, muitos participantes viajam com regularidade para o orfanato no México a fim de supervisionar seu funcionamento. Essa é uma característica crucial do ministério. Conforme dissemos antes, a mordomia não para depois que doamos o dinheiro. Somos responsáveis também por garantir o uso eficaz desses recursos para os propósitos divinos.

MORDOMIA NA COMUNIDADE **237**

Os ministérios de doação não precisam ser voltados de maneira específica para indivíduos com o dom espiritual de doar. Brandon Fremont, o administrador de um fundo de investimento livre em Chicago, deu início ao ministério de adoção em sua igreja, oferecendo apoio financeiro para famílias que desejam adotar uma criança mas não têm recursos para fazê-lo. O ministério é custeado por qualquer membro da igreja que sinta o desejo de contribuir. Um comitê de seleção formado por membros da igreja analisa formulários de inscrição e aloca os recursos. Brandon explica que, enquanto ele e outros doadores participam do comitê de seleção, o comitê também recruta pessoas que não fazem doações significativas para o ministério, a fim de garantir a objetividade na avaliação das inscrições. Esse ministério já ajudou a custear até agora cerca de doze adoções.

Os ministérios de doação são uma excelente maneira de aumentar o R_{ROI} das doações "extras" dos membros da igreja, além dos dízimos e das ofertas costumeiros. Fornecem um excelente canal para que as pessoas apaixonadas por doar expressem sua generosidade. Por fim, oferecem um método muito eficaz de educar os membros da igreja acerca da alegria da generosidade e da mordomia fiel. Alguns ministérios de doação, como o Mission 1:8, da Primeira Igreja Batista de Houston, no Texas, são coordenados pela liderança oficial da igreja. Isso também pode ser muito eficaz, contanto que haja um limite bem estabelecido entre os recursos destinados ao orçamento geral da igreja e as doações entregues ao ministério de doação.

Se você sente paixão por doar, recomendamos muito o lançamento de uma iniciativa semelhante em sua igreja. Edward e Katherine Heath se dispuseram gentilmente a conversar com qualquer leitor deste livro interessado em entender em maior profundidade como funciona a Equipe do Legado. Por favor, entre em contato com os autores para ser encaminhado ao casal Heath.

Educação para a generosidade

Cremos que o nível de doações é tão baixo na igreja atual em parte por causa da falta de educação para a generosidade. Se a igreja investisse tanto tempo e energia na educação de rapazes e moças sobre o tema da generosidade quanto dedica à instrução nos temas do serviço ou da pureza sexual, é possível que veríamos uma história bem diferente nos gráficos dos índices de doações hoje. Mesmo quando somos generosos, *nós nunca falamos sobre isso!* Como os jovens irão aprender sobre a visão divina para nossa generosidade a menos que os ensinemos?

É verdade que Jesus nos orienta a doar sem fazer alarde, em Mateus 6.2-4. Mas ele também nos exorta: "Da mesma forma, suas boas obras devem brilhar, para que todos as vejam e louvem seu Pai, que está no céu" (Mt 5.16). O contraste entre essas duas passagens deixa claro que o problema central acerca da doação pública é o *motivo*. Em Mateus 6.2-4, Jesus afirma que os "hipócritas" doam em público "para serem elogiados pelos outros". Já em Mateus 5.16, recebemos a ordem de fazer boas obras em público para que outros possam louvar o Pai. Podemos honrar a Deus quando damos um exemplo público de generosidade, desde que nossa motivação genuína seja dar glória a Deus, não a nós mesmos.[3]

Um caminho significativo, mas muito subutilizado na educação para a generosidade, é o sistema de mentoria. Vários de nós já experimentaram o valor tremendo que vem desse sistema — tanto a sabedoria recebida ao sermos mentoreados quanto a alegria que sentimos ao mentorear outros. No entanto, é raro falarmos sobre o tema da mordomia com nossos mentores. Sem perceber, aderimos à cultura do "tabu do dinheiro". Mas não seria isso um grande desperdício de sabedoria potencial? Da

---

[3] Alcorn, *Money, Possessions, and Eternity*, p. 445.

próxima vez que nos encontrarmos com nossos mentores, devemos procurar saber o que eles pensam sobre a generosidade e pedir conselhos sobre como administrar nossa mordomia pessoal. De maneira semelhante, devemos encorajar aqueles que estamos mentoreando no presente a estudar com profundidade o que a Palavra de Deus diz sobre esse assunto e adotar medidas práticas no sentido de cumprir a visão divina para riqueza e doações.

Por fim, temos de estar preparados para ajudar um amigo cristão que esteja tomando decisões ruins ligadas à mordomia de seus recursos. Paulo nos exorta: "Irmãos, se alguém for vencido por algum pecado, vocês que são guiados pelo Espírito devem, com mansidão, ajudá-lo a voltar ao caminho certo. E cada um cuide para não ser tentado" (Gl 6.1). Alan Barnhart disse que se ele entrasse na igreja se gabando por ter traído a esposa, seria devidamente corrigido pela comunidade na hora. Mas se gastasse todo o seu amplo poder de compra consigo mesmo e transformasse sua riqueza em ídolo, teme que poderia ser parabenizado pelo "sucesso". Não deveria ser assim!

Brandon Fremont reflete sobre nosso papel no aconselhamento a outros cristãos quando estiverem com dificuldades na área da mordomia: "Vocês devem ser modelos de fidelidade, chamar os infiéis e orar por eles. Mas não têm a responsabilidade de mudá-los. Não é possível assumir o que o outro precisa fazer". Há um valor significativo em agregar o tema da generosidade em nossos relacionamentos de mentoria e amizades próximas. Mas devemos tomar cuidado para não ficar semelhantes aos fariseus, preocupados "com o cisco no olho de [nosso] amigo enquanto há um tronco em [nosso] próprio olho" (Mt 7.3).

Solidariedade com os outros

Por sermos seguidores de Cristo, nossa comunidade se estende além dos vizinhos de porta e das quatro paredes de nossa igreja local. Embora a maior parte de nosso tempo e energia sejam gastos na interação com pessoas pertencentes a esse contexto local, somos apenas um membro da criação global divina. Cada um dos sete bilhões de seres humanos vivos hoje reflete a imagem de Deus e recebe a livre oferta de seu amor por intermédio de Cristo. Somente por esses motivos, cada ser humano merece dignidade e respeito.

A preservação da solidariedade para com os outros seres humanos pode ser extraordinariamente difícil, considerando que a maior parte de nós passa quase todo o tempo dentro do mesmo contexto. Jamais devemos subestimar a extensão da influência da cultura local sobre nós. Paulo nos adverte em Romanos 12.2: "Não imitem o comportamento e os costumes deste mundo, mas deixem que Deus os transforme por meio de uma mudança em seu modo de pensar, a fim de que experimentem a boa, agradável e perfeita vontade de Deus para vocês". E reforça em Colossenses 2.8: "Não permitam que outros os escravizem com filosofias vazias e invenções enganosas provenientes do raciocínio humano, com base nos princípios espirituais deste mundo, e não em Cristo".

Nossa luta para dar ouvidos às advertências de Paulo é exacerbada pela tendência de nos compararmos constantemente às pessoas ao nosso redor. Fazemos comparações sociais tanto "para cima" quanto "para baixo". As comparações para cima são feitas com indivíduos que sentimos ser superiores a nós em algum aspecto, e vice-versa para as comparações para baixo. Fazemos comparações para cima a fim de nos motivar em relação ao aperfeiçoamento pessoal ou aumentar nossa autoestima ao traçar semelhanças entre nós e aqueles que pertencem às classes sociais mais elevadas. Em contrapartida, fazemos comparações para baixo a fim de melhorar nossa autoimagem em relação àqueles que pertencem às classes sociais mais baixas.[4]

---

[4] *Psychology Today*, <https://www.psychologytoday.com/basics/social-comparison-theory>. Acesso em 27 de maio de 2019.

Infelizmente, nosso contexto local costuma distorcer a escala que usamos ao fazer essas comparações sociais.

Figura 6: Nossa visão distorcida de solidariedade

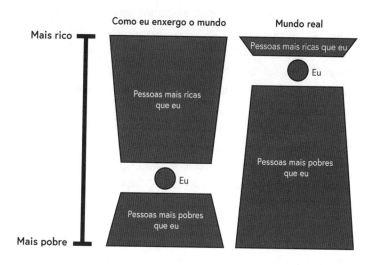

Quase todos nós enxergamos o mundo através de uma lente distorcida, conforme retrata a figura 6. Isso é verdade, independentemente de nosso nível de renda. A localização específica do "eu" na figura da direita varia de acordo com a renda do indivíduo, mas, na maioria dos casos, *achamos* que somos menos ricos do que *de fato somos*. Aliás, a média salarial anual nos Estados Unidos é de 43 mil dólares, duas vezes e meia maior que a média salarial individual global, de 18 mil dólares.[5] Lembre-se de que esse valor de 18 mil dólares é ajustado pela paridade do poder de compra, considerando as diferenças de custo de vida entre os países.

A maioria de nós passa muito mais tempo fazendo comparações "para cima" do que "para baixo". Esse hábito fomenta nossa

---

[5] Ruth Alexander, "Where are you on the global pay scale?", <http://www.bbc.com/news/magazine-17512040>. Acesso em 27 de maio de 2019.

cultura de materialismo — aquela velha história de que "a grama do vizinho é sempre mais verde". Podemos ocasionalmente dar um passo atrás e reconhecer a extensão da graciosa provisão de Deus em nossa vida. No entanto, dentro do confinamento de nossas comunidades fechadas, gastamos tempo demais admirando o carro novo do vizinho, comparando detalhes técnicos do novo sistema de entretenimento de um amigo, soltando comentários sutis sobre nossa viagem de férias que está para chegar ou imaginando como seria bom ter o belo guarda-roupa do líder do nosso pequeno grupo.

Por que a tendência em fazer comparações "para cima" é tão perigosa? Por que é tão importante manter a solidariedade com *todos* os nossos semelhantes, não só com aqueles que desejamos imitar? A resposta é que o foco "para cima" diminui nossa habilidade de sentir empatia verdadeira pelos "menores dentre os irmãos", restringindo gravemente nossa capacidade de ser generosos. As Escrituras falam com frequência sobre a importância da empatia: "Ajudem a levar os fardos uns dos outros e obedeçam, desse modo, à lei de Cristo" (Gl 6.2); "Por fim, tenham todos o mesmo modo de pensar. Sejam cheios de compaixão uns pelos outros. Amem uns aos outros como irmãos. Mostrem misericórdia e humildade" (1Pe 3.8); "Alegrem-se com os que se alegram e chorem com os que choram" (Rm 12.15), e é claro, a clássica regra de ouro: "Em todas as coisas façam aos outros o que vocês desejam que eles lhes façam. Essa é a essência de tudo que ensinam a lei e os profetas" (Mt 7.12).

Quando falhamos em sentir empatia, nossa generosidade se restringe de diversas maneiras. Primeiro, o foco para cima nos leva a subestimar a necessidade de ser generosos. A relativa riqueza de nosso contexto nos cega para as necessidades tremendas daqueles que se encontram fora de nosso contexto local. Pense no tratamento que o homem rico de Lucas 16 dava a Lázaro. John e eu ficamos assustados ao perceber quanto conseguíamos

MORDOMIA NA COMUNIDADE **243**

nos identificar mais com o rico que com Lázaro. Embora muitos de nós talvez não se *sintam* ricos, com frequência nos vestimos de "linho fino", cujo valor poderia suprir um guarda-roupa inteiro para uma criança carente, e muitas vezes desfrutamos "refeições suntuosas", cujo preço poderia alimentar uma família necessitada por uma semana.

Em segundo lugar, a falha em sentir empatia reduz a eficácia de nossa generosidade, mesmo quando reconhecemos a necessidade de sermos generosos. Lembre-se da experiência de Denise Whitfield com os membros abastados de sua igreja que tentaram ajudar sua família em um período de necessidades financeiras. A intenção dos amigos de Denise era boa, mas, por causa da incapacidade de sentir empatia pela situação dela, eles não conseguiram apoiá-la de modo eficaz.

Talvez o aspecto mais perigoso desses fenômenos é que, com frequência, nem reconhecemos que eles acontecem! Brandon Fremont comentou: "Nossa comunidade é rica, então temos o medo real de não percebemos que a água na qual estamos imersos começou a ferver". Brandon e a família trabalham ativamente para cultivar empatia em relação a *todos* os filhos de Deus ao investir em relacionamentos com famílias de todo o espectro socioeconômico. Por exemplo, seu pequeno grupo inclui famílias de alta, média e baixa renda, e eles investem tempo significativo trabalhando com ministérios de orfanatos tanto dentro dos Estados Unidos quanto no exterior.

Algumas pessoas acham que "trabalhar" intencionalmente para manter a empatia é, de algum modo, uma atitude desprovida de sinceridade e comprometida por segundas intenções. Nós discordamos! Se não formos intencionais, a gravidade natural da vida nos puxa para perto de outros semelhantes a nós e nos empurra para longe daqueles para com os quais é fundamental mantermos empatia genuína. Além disso, observe que empatia não é sinônimo de pena. Ser generoso, por empatia verdadeira,

244 DEUS E O DINHEIRO

oferece aos outros a dignidade e o respeito que eles merecem. Ser generoso por pena introduz uma natureza hierárquica e transacional ao relacionamento, mesmo que de maneira não intencional. Paulo expressa de forma bela nossa necessidade de manter a empatia em 1Coríntios 9.19-23:

> Embora eu seja um homem livre, fiz-me escravo de todos para levar muitos a Cristo. Quando estive com os judeus, vivi como os judeus [...]. Quando estive com os que seguem a lei judaica, vivi debaixo dessa lei [...]. Quando estou com os que não seguem a lei judaica, também vivo de modo independente da lei [...]. Quando estou com os fracos, também me torno fraco, pois quero levar os fracos a Cristo. Sim, tento encontrar algum ponto em comum com todos, fazendo todo o possível para salvar alguns. Faço tudo isso para espalhar as boas-novas e participar de suas bênçãos.

Em última instância, buscamos sentir empatia pelos outros seres humanos por amor ao evangelho e por aquilo que o evangelho fez em nós.

Por fim, queremos destacar que a preservação da empatia não quer dizer que nos sentimos culpados pelas bênçãos que Deus nos concedeu. Podemos sentir culpa se acumularmos essas bênçãos só para nós, em lugar de usá-las para os propósitos divinos. Nesse caso, porém, a culpa não diz respeito à provisão divina, mas sim à nossa reação a ela. As Escrituras deixam claro que o Senhor se alegra em nos abençoar, e sua provisão, mesmo em abundância, é corretamente considerada uma bênção.[6] Por isso, não necessitamos sentir culpa pelo simples fato de que Deus, em sua soberania, nos abençoou com tanto. Em vez disso, devemos louvar o Senhor por sua tremenda provisão e então aceitar a responsabilidade de ser generoso com ela.[7]

---

[6] Provérbios 3.9-10; Malaquias 3.10; Lucas 6.38 etc.

[7] 1Crônicas 29; 2Coríntios 9.12-13.

Edward e Katherine Heath pensaram muito sobre esse assunto. Katherine diz: "Não sentimos muita culpa quanto à nossa expectativa da bênção de Deus. Existe uma razão lógica para Deus ter nos abençoado tanto, com bênção sobre bênção. É uma loucura o que ele faz! Em contrapartida, meu irmão tem o coração inteiramente entregue ao Senhor — ele serve, dá o dízimo, doa —, mas nada parece dar certo para ele. Sofreu algumas injustiças graves, perdeu o emprego e recentemente se envolveu em um grave acidente de carro. Orei muito a esse respeito e a resposta que ouvi de Deus foi: 'Não cabe a você entender isso'. A disparidade é uma questão muito difícil. Em Gênesis 12.2, porém, lemos que somos abençoados para ser bênção. Se o Senhor nos abençoou, temos certeza de que foi para sermos uma bênção para os outros. Aprendemos a não nos remoer pelo fato de sermos abençoados. Apenas escolhemos ser generosos com aquilo que temos".

> **De olho nos detalhes...**
>
> Tom e Bree Hsieh são um excelente exemplo de uma vida voltada para o reino ao mesmo tempo que se mantêm solidários a todas as pessoas. Apesar da bolada recebida em uma oferta pública da área de tecnologia, eles levam uma vida bem modesta, profundamente integrados à comunidade de baixa renda na qual escolheram viver a fim de ter mais oportunidades ministeriais. Confira a história deles no vídeo de sete minutos, "Into the Neighborhood", em <GodandMoney.net/resources>.

Acreditamos que existe grande valor em tornar nossa mordomia um ato mais comunitário. Por meio de transparência financeira, projetos de doação em grupo e ministérios locais de doação, podemos alavancar o poder coletivo de nossos irmãos e irmãs em Cristo, a fim de gerar um rendimento muito maior para o reino de Deus. Ao incorporar a mordomia a nossos pequenos grupos e relacionamentos de mentoria, podemos aumentar enormemente a educação e a sabedoria compartilhada sobre o tema da generosidade em nossas igrejas. Ao manter a solidariedade para com as outras pessoas, preservamos a empatia necessária para reconhecer a necessidade de sermos generosos e a habilidade para formular uma resposta eficaz a essa necessidade. Cremos que existe potencial para dar início a um ímpeto poderoso de generosidade em toda a Igreja com *I* maiúsculo, por meio da combinação de forças financeiras a fim de causar impacto para o reino de Deus!

10

NOSSAS CONCLUSÕES

Nossa maneira de enxergar o dinheiro indica em que depositamos nossa fé e confiança. Se quiser crescer na fé, empenhe-se na mordomia.

BRANDON FREMONT

Nosso principal objetivo no início deste projeto era simplesmente pensar em como administrar a riqueza e a doação de recursos em nossa vida pessoal. Cursando a pós-graduação em administração, com um patrimônio líquido limitado, mas cheios de expectativas quanto aos ganhos futuros, queríamos estar "um passo à frente" em relação ao dinheiro, por assim dizer. Como nos contou Al Mueller, presidente da organização Excellence in Giving, é muito mais fácil formar hábitos de viver com generosidade *antes* de ter o dinheiro na conta bancária!

Pela graça de Deus, o que imaginávamos que seria um simples estudo para pautar nossos hábitos pessoais de doação cresceu para muito além disso. O que deveria ser um ensaio de trinta páginas para conclusão de uma disciplina se transformou em um documento de oitenta páginas. Então, essas oitenta páginas se tornaram este livro (é como a série de filmes *O Senhor dos Anéis*: nunca termina!). Assim, imaginamos que seria útil recapitular nossas principais descobertas, a fim de resumir de maneira concisa todo o projeto.

A Bíblia oferece uma narrativa clara e coerente sobre riqueza e doação

A história geral de Deus está repleta de fidelidade, salvação e

248 DEUS E O DINHEIRO

graça. Mas ela também fala muito sobre dinheiro — mais de dois mil versículos! Deus tece uma narrativa clara e coerente sobre riqueza e doação em sua Palavra. Com frequência, perdemos isso de vista porque não temos o costume de estudar o tema do dinheiro de forma longitudinal ao longo das Escrituras. A realização desse tipo de estudo permite que juntemos com precisão as lições fundamentais sobre riqueza e generosidade.

Nossa riqueza tem um propósito — que não é uma busca incessante por *mais*

Muitos de nós vivemos com o pressuposto de que o propósito de nosso dinheiro é aumentar nossa qualidade de vida, mesmo que jamais articulemos a crença dessa forma. Deus enxerga as coisas de maneira diferente. Nossa riqueza é uma bênção proveniente dele e nos é dada a fim de podermos abençoar os outros. Em outras palavras, nossas posses devem ser usadas para os propósitos do reino. Essa linha de pensamento está de acordo com *nosso* propósito geral: "Glorificar a Deus e desfrutá-lo para sempre". Por sermos mordomos, nosso papel é administrar ativa e responsavelmente a criação divina para os propósitos divinos. Nossa riqueza não passa de uma ferramenta por meio da qual buscamos alcançar esse objetivo.

Adotar uma mentalidade de fartura oferece um nível de alegria e satisfação que não podemos ter a esperança de alcançar de outra maneira

Adotar uma mentalidade de fartura significa confiar em Deus para nos sustentar, agradecer por suas bênçãos e partilhar generosamente essas bênçãos com os outros. Viver com uma mentalidade de fartura permite que experimentemos uma alegria muito maior do que jamais poderíamos esperar conquistar ao acumular bens por medo, com uma mentalidade de escassez.

Encontramos felicidade verdadeira em nosso dinheiro somente quando o compartilhamos, não quando o guardamos para nós mesmos. Como diz uma expressão popular: "Dinheiro é como esterco. Se você empilhar, fede. Mas, se espalhar ao redor, pode produzir alguma coisa boa".

A generosidade se faz melhor em comunidade

Em geral, alavancamos a combinação de nossos talentos para realizar coisas maiores em nome de Deus — por exemplo, louvando a Deus junto com toda a congregação ou organizando uma escola bíblica de férias para as crianças. No entanto, a generosidade com frequência é considerada uma questão privada, individual. Isso deve mudar — podemos ampliar nosso R_{ROI} ao sermos generosos como comunidade. Transparência financeira, doações em grupo, ministérios locais de doação, iniciativas da igreja como um todo e mentoria são medidas que permitem impulsionar nossa generosidade coletiva a fim de servirmos com maior eficácia o reino de Deus.

Devemos manter a solidariedade para com os outros seres humanos a fim de sermos mordomos eficazes

Todos os sete bilhões de seres humanos vivos hoje carregam a imagem de Deus e, portanto, merecem ser tratados com dignidade e respeito. Uma vez que passamos tanto tempo em nosso contexto local e temos a propensão de nos comparar "para cima", com frequência falhamos em manter a empatia por quem está fora de nosso contexto local. A conservação da empatia é fundamental, pois permite que apreciemos melhor a necessidade de aprimorar a eficácia de nossa generosidade. Empatia não é sinônimo de pena — somos chamados a preservar a honra e a dignidade de nossos semelhantes com a nossa generosidade. Ao mesmo tempo, não precisamos sentir culpa pela provisão divina em nossa vida, pois Deus é glorificado e se agrada em nos abençoar. A desigualdade é um tema difícil. É possível que não consigamos resolver o problema da desigualdade, mas podemos reagir à farta provisão divina ao sermos generosos, em atitude de sacrifício, com todas as bênçãos que Deus nos concede.

É possível desenvolver uma estrutura coerente para a administração moderna das riquezas e doações

Muitos materiais cristãos sobre doação se concentram em "ter um coração generoso", em vez de dar conselhos específicos sobre a administração das riquezas. Isso está certo — em última instância, é nosso coração que Cristo julgará, e nossa fé se baseia na graça, não nas obras. No entanto, essa abordagem muitas vezes deixa uma lacuna entre as orientações teóricas ao nosso coração e as decisões reais que tomamos na vida cotidiana. Reconhecemos a primazia do coração, mas também cremos firmemente que os atos importam e que os valores também são importantes! Os cristãos são chamados para serem mordomos generosos, e isso requer ação real. Suspeitamos que "não me senti tocado a doar" não será uma defesa razoável quando Jesus fizer perguntas sobre nossos hábitos de generosidade. Às vezes, necessitamos de um plano mais específico e detalhado acerca de como nos mover rumo a uma vida generosa do que o "foco no coração".

Esse projeto nos capacitou a desenvolver uma estrutura coerente para administrar os gastos, a poupança e o serviço em nossa vida. Em vez de ser prescritiva, esperamos que essa estrutura apresente uma forma de categorizar nossa tendência de gastador, poupador ou servo, para então embarcarmos em uma jornada de crescimento rumo a decisões de administração financeira mais semelhantes a Cristo. Embora não sejam, de maneira alguma, um requisito bíblico, as linhas de chegada financeiras parecem ser a melhor prática para combater a tendência humana de sempre ansiar por mais e mais autogratificação.

Há cristãos demais que se perguntam: "Quanto devo doar?". Mas a pergunta certa é: "Com quanto eu necessito ficar?"

Muitos cristãos determinam seu índice de doações com base em quanto acreditam que devem doar a fim de obedecer a Deus. Argumentamos que esses indivíduos estão pensando na pergunta de trás para a frente! Aceitar a ideia de que tudo o que temos na verdade pertence a Deus nos leva, em vez disso, ao questionamento: "Com quanto eu realmente necessito ficar?". A compreensão verdadeira da soberania de Deus sobre nossa vida e a confiança genuína nele para nossa provisão leva à conclusão natural de que podemos honrá-lo ao prover com humildade para nós mesmos e doar com generosidade o restante!

A CONCLUSÃO FINAL

Nossa conclusão final é um pouco diferente do restante. Não é teórica, filosófica nem teológica. Em vez disso, é social: *descobrimos que pessoas normais realmente estão fazendo isso!* Contamos a seguir quais foram nossas principais descobertas, com base nas muitas interações que tivemos com homens e mulheres de Deus extraordinariamente generosos ao longo deste projeto.

Tivemos a grande alegria de conversar com muitos indivíduos que estão honrando a Deus de formas radicais com sua riqueza e doação, incluindo Brandon Fremont, Will e Rachel Pope, Denise Whitfield, Brett e Christy Samuels, Edward e Katherine Heath. Mas descobrimos que esses indivíduos são apenas a ponta do *iceberg*. Há muitos milhares de outros cristãos que levam uma vida radicalmente generosa no mundo atual. Alguns deles são ricos, mas a maioria não. Em sua maior parte, são indivíduos cuja vida foi transformada pelo dom de Cristo da salvação mediante a graça. O que os torna únicos é sua resposta a esse dom: eles abraçaram a alegria proveniente de uma vida dedicada ao serviço a

DEUS E O DINHEIRO

Cristo, em gratidão por seu sacrifício. A doação generosa é apenas uma maneira de servi-lo.

Tentamos entender dois fatores específicos a respeito do nível inspirador de generosidade desses indivíduos, com a esperança de poder imitar tais práticas em nossa vida:

- O que leva alguém a se tornar radicalmente generoso?
- Que crenças ou comportamentos práticos e cotidianos alimentam a generosidade ao longo do tempo?

O que leva alguém a se tornar radicalmente generoso?

Nossa pesquisa revela três catalisadores principais para aderir a um estilo de vida de generosidade radical. O primeiro é a compreensão profunda do que a Palavra de Deus diz sobre o tema. Esperamos que o capítulo 1 tenha apresentado uma reflexão útil sobre a visão divina em relação a nossa riqueza e doação de recursos. Para leituras adicionais, recomendamos *Money, Possessions, and Eternity* e *The Treasure Principle*, ambos de Randy Alcorn, e *When Helping Hurts*, de Brian Fikkert e Steve Corbett.

O segundo é a exposição direta à alegria proveniente de uma vida de generosidade. Essa exposição é adquirida, com frequência, por meio de relacionamentos com amigos íntimos ou membros da igreja que vivem de maneira muito generosa. Recomendamos que você peça conselho para as pessoas de sua rede de contatos que honram a Deus com a própria riqueza e hábitos pessoais de doação. Convide-as para jantar e procure entrar na mente delas a fim de entender por que e como vivem dessa maneira, além de perguntar quais foram os resultados para sua fé e felicidade geral. Também recomendamos ir em busca de conhecer as diversas organizações cuja missão é apoiar a busca cristã pelo aumento da generosidade, incluindo National Christian Foundation, Generous Giving e Compass— Finances God's Way.

O terceiro é a experiência ou observação em primeira mão da necessidade profunda de generosidade em nosso mundo despedaçado e pecaminoso. Às vezes, isso ocorre em nossa vida, durante períodos de dificuldade. Em outras ocasiões, testemunhamos a necessidade de generosidade por meio da vida dos outros. É por isso que é tão importante ter empatia pelas pessoas. Recomendamos o envolvimento em um ministério local que ajude indivíduos de um contexto bem diferente do seu, a participação em uma viagem missionária internacional ou uma visita a missionários patrocinados por sua igreja local.

Que crenças ou comportamentos práticos e cotidianos alimentam a generosidade ao longo do tempo?

Depois que alguém adere a um estilo de vida de generosidade radical, como sustentá-lo ao longo do tempo? Mais uma vez, observavamos três fatores principais. Primeiro, esses indivíduos consideram que seu dinheiro e suas posses, na verdade, pertencem a Deus. Não se trata de um clichê cristão batido — eles acreditam genuinamente nisso. Essa crença torna bem mais fácil a decisão de ser generoso e costuma ser expressa de forma tática por meio de limites para despesas e/ou economias (i.e., linhas de chegada financeiras). Trata-se da resposta diária à pergunta: "Com quanto eu necessito ficar?". Recomendamos pensar em quanto dinheiro você de fato necessita e imaginar como seria devolver a Deus tudo o que ganhar além desse número.

Em segundo lugar, esses indivíduos experimentam um alto grau de expectativa em torno da alegria que recebem por ser generosos. Katherine Heath descreve essa expectativa como a crença fundamental no fato de que Deus cumprirá suas promessas.[1] Compreenderam plenamente o conceito de que ser generoso

---

[1] Malaquias 3.10; Provérbios 3.9-10; Lucas 6.38 etc.

lhes dará melhor qualidade de vida no longo prazo — talvez não no aspecto financeiro, mas, sem dúvida, no que se refere a alegria e satisfação. Dito isso, várias pessoas atribuem boa parte do aumento na provisão que recebem à disposição de serem generosos com níveis menores de provisão no passado. Não se trata da atitude de dar para receber, mas sim do reconhecimento de que Deus pode escolher derramar recursos sobre aqueles que ele sabe que serão mordomos sábios. Não demora muito para essas pessoas passarem da expectativa de alegria baseada na fé para a expectativa de alegria baseada em uma experiência anterior: uma vez que experimentaram a alegria da generosidade em primeira mão, elas procuram experimentá-la vez após vez.

Por fim, notamos que a generosidade desses indivíduos se baseia em uma fé profunda em Cristo. Ou seja, a generosidade é apenas um aspecto de sua vida transformada em Jesus. O mais surpreendente é que essa influência causal parece funcionar nos dois sentidos: ao passo que a generosidade dessas pessoas sem dúvida cresceu à medida que se aprofundaram na fé, sua fé também se aprofundou à medida que deram passos intencionais para aumentar sua generosidade. Notamos que vários indivíduos dão passos ousados e assustadores de generosidade, e Deus vai encontrá-los onde estão. Com isso, a fidelidade divina alimenta ainda mais sua generosidade. Em outras palavras, fé e finanças estão inseparavelmente ligadas. Essa observação tem nos incentivado a dar passos ousados de generosidade, mesmo que ainda não sintamos ter uma fé forte o suficiente para acompanhar a ação.

Deus abençoou este projeto de maneiras extraordinárias ao longo de sua duração. Ele nos impulsionou a todo instante, nos revelou novos *insights*, nos abriu portas e nos apresentou pessoas incríveis que servem a Cristo com paixão por meio de sua generosidade. E o mais importante: ele mudou nosso coração. Passamos a entender com maior profundidade que a mordomia é apenas um componente de nossa resposta fiel a Cristo por seu dom eterno e inestimável da salvação pela graça. Aprendemos que a generosidade é a resposta alegre do coração que foi transformado pelo amor redentor de Cristo. Em vez de enxergar as doações como um desafio pessoal, como fazer dieta ou perder peso, passamos a entendê-las como uma dádiva, uma oportunidade de participar do cumprimento dos propósitos de Deus neste mundo. Este livro fala sobre dinheiro, é claro, mas por trás de tudo isso está a história divina de redenção, salvação e graça. Tornar essa conexão bem clara em nossa mente é uma das maiores bênçãos que Deus nos concedeu por meio deste projeto.

À medida que continuamos a trabalhar neste livro, nossa visão de generosidade na Igreja com *I* maiúsculo também cresceu. Aprendemos que existe hoje na igreja um interesse significativo pelo tema da generosidade. Muitos de nós pensamos com regularidade acerca de como servir a Deus com os recursos fartos com os quais ele nos abençoou, mas não sabemos ao certo como fazer isso. Cremos, porém, que as oportunidades estão aumentando. Vários profissionais que estudaram a generosidade por muitos anos nos contaram que a empolgação em torno da generosidade

> ### De olho nos detalhes...
>
> Quando você terminar de ler este livro, não permita que isso seja o fim de seu estudo sobre o tema — que seja apenas o princípio! Confira no Apêndice A uma lista de leitura com recursos excelentes. O Apêndice B apresenta os melhores grupos que conhecemos e que podem ajudá-lo a descobrir como ter uma vida generosa que honre a Deus. Existem outros como você, pessoas que amam Jesus e desejam honrá-lo com a generosidade em sua mordomia financeira. E você pode conhecê-los por meio dessas organizações! Então... o que você fará em seguida? Chame o pessoal da Generous Giving para ajudá-lo a ser anfitrião de uma jornada de generosidade para seus amigos. Dê um telefonema para um consultor do reino. Abra um fundo de doações. Crie uma Diretoria de Vida pessoal. Pergunte ao Senhor agora mesmo qual é o próximo passo que ele quer que você dê!

se encontra no nível mais elevado que eles já viram. Cremos que Deus está começando a mobilizar sua igreja para dar início a uma onda de generosidade tal como jamais se fez sentir na terra.

Nossa visão é que o nível radical de generosidade demonstrado pelos indivíduos deste livro se torne comum — que cada vez mais cristãos, independentemente do nível de renda, escolham viver com a mentalidade alegre de fartura, ao mesmo tempo que agradecem a Deus por sua provisão e o servem generosamente com sua riqueza. Nossa oração é para que milhões de gastadores e poupadores se tornem servos de Cristo, à medida que experimentam sua graça redentora na vida financeira. Todo seguidor de Jesus que escolhe viver dessa forma glorifica a Deus e aumenta o impacto e a influência do reino de Deus no mundo.

Assim, nós lhe fazemos nossa pergunta final: com quanto você realmente necessita ficar?

Epílogo

QUAL É NOSSA SITUAÇÃO AGORA?

Temos uma visão tão positiva de Deus que sabemos que podemos confiar nele cegamente.

BILL BRIGHT, FUNDADOR DA CAMPUS CRUSADE FOR CHRIST

Deus nos ensinou muita coisa por meio da elaboração deste livro! Mesmo assim, ficamos chocados diante da rapidez com que ele pediu a cada um de nós que puséssemos em prática o que havíamos aprendido! A seguir encontra-se uma breve atualização do que aconteceu em nossa vida ao longo do último ano, desde o início deste projeto até a finalização do livro. Compartilhamos nossas experiências com o objetivo de destacar a fidelidade de Deus, ao mesmo tempo que expressamos gratidão por nosso Senhor todo-poderoso, que escolhe usar cada um de nós, meros pecadores, para a edificação de seu reino.

EXPOSIÇÃO DE UM PECADO OCULTO (POR GREG)

Antes da pós-graduação, tanto John quanto eu dávamos o dízimo com regularidade. Mas, assim como os fariseus de Mateus 23, nossa obediência fácil, preto no branco, ao ato de dizimar estava, na verdade, mascarando um pecado oculto acerca de nossa mordomia. John era poupador e eu, gastador. Em sua tendência de poupador, John era propenso à idolatria, atribuindo segurança a seu crescente patrimônio líquido, em vez de depender de seu Salvador. Já eu, como gastador, tendia a cair no materialismo, atribuindo maior valor a coisas criadas que a meu Criador. Nós dois estávamos errando o alvo!

A disciplina sobre Deus e o dinheiro, ministrada pelo professor

Cox na Harvard Divinity School, foi o primeiro passo em nossa jornada para nos tornarmos servos. Sentados na sala de aula do professor Cox, não demorou muito para que percebêssemos que a visão de Deus acerca de nosso dinheiro e nossas posses era totalmente diferente da nossa. Mas levamos o semestre inteiro (e o semestre seguinte... e quase um ano inteiro após a formatura, até a escrita deste livro) para descobrir com exatidão que visão era essa. Mesmo enquanto escrevíamos acerca de como nos tornarmos servos, permanecia uma desconexão entre nosso entendimento intelectual das expectativas divinas para a mordomia e nossas experiências reais, cotidianas.

Dada a frequência com que Deus ensinou lições importantes para personagens bíblicos por meio de experiências reais de vida, talvez já devêssemos ter esperado os próximos passos dele. Mas não, é claro. O que aconteceu foi que, mesmo nos meses que se seguiram ao término deste texto, Deus tinha grandes planos para ampliar nossa fé e generosidade por meio de sua obra em nossa vida.

O TRABALHO MAIS SANTO — MINISTÉRIO OU MERCADO DE TRABALHO? (POR GREG)

O primeiro sinal das coisas que estavam por vir foi um *e-mail* empolgante que John e eu recebemos em um dia coberto de neve no inverno de Boston. Todd Harper, presidente da organização Generous Giving (GG), queria se encontrar conosco! Você deve se lembrar da pesquisa que realizamos com mais de duzentos empresários como parte de nosso trabalho de conclusão da disciplina sobre Deus e o dinheiro. Nas respostas, muitos desses indivíduos citaram a GG como uma organização fantástica, que faz um trabalho extraordinário de espalhar a mensagem da generosidade bíblica. Várias pessoas recomendaram que entrássemos em contato com a organização como parte do projeto. Mas, apesar de lançar mão de nossas melhores habilidades em cultivar uma rede de contatos, não conseguimos fazer nenhum avanço em estabelecer uma conexão com a GG. Então, que surpresa tivemos ao encontrar um *e-mail* do presidente da organização em nossa caixa de entrada!

Pouco tempo depois, almoçamos com Todd Harper e Matt Mancinelli em Boston. Todd e Matt têm uma visão inspiradora para a obra que Deus está fazendo para incitar maiores níveis de generosidade em sua igreja. Todd nos ofereceu emprego na GG durante a reunião. Foi uma oferta tentadora (no bom sentido). Sempre me lembrarei do argumento final de Todd: "Há trilhões de dólares trancados em contas bancárias de cristãos hoje. Não importa quanto vocês tenham a esperança de ganhar e doar pessoalmente, o total perde a importância em comparação com o impacto que podem causar ao ajudar outros a experimentarem a alegria da generosidade".

O problema é que eu já estava profundamente envolvido com uma *start-up* de tecnologia na área de cuidados médicos em Nashville, Tennessee. Eu havia passado o verão anterior estagiando na empresa, chamada naviHealth, e já estava trabalhando para a companhia por meio período ao longo do último ano do mestrado. Após o almoço com Todd e Matt, senti-me muito inspirado pela possibilidade de servir a Deus no ministério, como membro daquela organização. No entanto, eu continuava igualmente empolgado com as oportunidades que me aguardavam na naviHealth. Minha esposa Alison e eu passamos muitos momentos em oração antes de dormir, perguntando a Deus o que deveríamos fazer. Alison me apoiaria totalmente de qualquer maneira (como você pode perceber, ela é o máximo!). Mas eu estava muito dividido. Levando em conta tudo o que Deus havia me ensinado por meio da escrita deste livro, não faria sentido eu sair compartilhando as mesmas lições com os outros? Eu cometeria o "pecado de Jonas" ao me dedicar ao setor privado?

260 DEUS E O DINHEIRO

Ao longo do tempo, depois de muito pensar, refletir e orar, cheguei à conclusão de que uma carreira no setor privado pode ser tão santa quanto uma carreira no ministério. Tudo se resume aos motivos. Aprendi muito ao ler o conteúdo do *site* The Theology of Work Project (<www.thetheologyofwork.org>) e ao estudar as Escrituras. Dois versículos que me impactaram de verdade foram Colossenses 3.17 ("E tudo que fizerem ou disserem, façam em nome do Senhor Jesus, dando graças a Deus, o Pai, por meio dele") e Mateus 5.16 ("Da mesma forma, suas boas obras devem brilhar, para que todos as vejam e louvem seu Pai, que está no céu").

Deus vê o trabalho como algo bom. Desde que eu vá ao escritório todo dia com o objetivo de usar as habilidades e dons que o Senhor me deu para glorificá-lo, tanto por meio de meu trabalho quanto mediante minhas interações com os outros, ele se agrada. À medida que adquiri confiança nessa perspectiva ao conversar com outros cristãos em quem confio, a decisão de me juntar à naviHealth se tornou cada vez mais clara.

Liberdade dentro de limites (por John)

Enquanto Greg experimentava a confirmação divina em seu caminho no mercado de trabalho, eu sentia Deus me desafiar e me chamar para o ministério. É famoso o testemunho de C. S. Lewis de que ele era o convertido mais abatido e relutante de toda a Inglaterra quando aceitou o Senhor. Acho que posso ser o mais abatido e relutante obreiro do Senhor na história do ministério!

Começou quando a Chevron me ofereceu o emprego dos sonhos — em Perth, Austrália — poucos dias antes de nossa reunião inicial em um almoço com Todd Harper. Eu ainda tinha uma chance em um programa rotativo de expatriados muito atraente, mas havia negociado e manobrado por mais de um ano para pular o sistema de rotatividade e ir direto para o segundo maior projeto de petróleo e gás natural do mundo, orando a Deus ao longo de todo o processo. Estávamos procurando casa

EPÍLOGO **261**

lá, correndo atrás de escola e planejando ficar até uma década no grande país do Hemisfério Sul. Para encurtar a história, o sonho acabou — no aniversário de Megan, para piorar ainda mais as coisas! Isso me colocava de volta em uma competição aberta por vagas em potencial ao redor do mundo. (Eu tinha até uma segunda opção de emprego em Perth, que também deu errado na mesma semana.) Frustrado e me sentindo deslocado, quando Todd nos convidou para trabalhar com ele minha resposta foi: "Há uma semana, eu teria dado risada de você. Não sei o que isso significa, mas não estou rindo agora".

Seguiu-se uma temporada de jejum e oração, durante a qual senti Deus me encaminhando rumo à oportunidade na Generous Giving. Senti o forte desejo de promover a missão profética na qual essa organização está engajada e passar uma mensagem para nossa cultura moderna sobre a graça de doar. Havia um nó permanente em meu estômago a esse respeito. Megan e eu colocávamos as crianças para dormir, nos deitávamos também e chorávamos até secar as lágrimas. Por que Deus nos daria um sonho (tornarmo-nos funcionários expatriados da Chevron), permitiria que passássemos cinco anos tentando realizá-lo e então nos pediria que o deixássemos de lado no momento em que estivesse prestes a se tornar realidade? Por que pegaríamos um empréstimo estudantil com o plano de dobrar nossa renda para depois, de modo deliberado, aceitar um emprego com salário *menor*? Eu estava literalmente evitando ligações do consultor de transferências da Chevron, que estava pronto para mandar os caminhões de mudança — estava em cima hora. Conversamos abertamente sobre falar não para o Senhor, mudar para outro continente e viver da maneira que quiséssemos. (Se Jonas pudesse nos aconselhar, é provável que ele dissesse que essa era uma má ideia, levando em conta todo aquele incidente com o grande peixe...)

Pedimos a Deus que deixasse bem claro se ele queria que mudássemos o rumo da nossa vida. Para nosso grande espanto, foi exatamente isso que ele fez. Um amigo missionário em um país estrangeiro bem distante, que não tinha nenhum conhecimento específico de minhas circunstâncias, me mandou um *e-mail* dizendo que não sabia por que Deus havia me colocado em seus pensamentos e que eu deveria deixar a Chevron e ir em busca de uma atuação profissional diferente após a formatura. Minha mãe teve um sonho comigo que sentiu ter vindo da parte de Deus, sugerindo que eu deveria considerar um novo rumo para minha vida. Um investidor profissional, formado em Harvard, ligou para mim, dizendo que sentia o dever de partilhar uma história comigo — a experiência de um colega de classe dele que havia deixado o setor privado para trabalhar no ministério após terminar a pós-graduação em administração. Continuamos lutando para tomar a decisão, ouvindo sem parar a música "Oceans", do grupo Hillsong, provavelmente mais de cem vezes. O hino fala de confiar profundamente em Deus e entrar em um lugar no qual é necessário entregar-se a ele.

Megan e eu analisamos em oração qual seria o menor salário que poderíamos aceitar naquela fase da vida ao ingressar no ministério. Nossa proposta era entre 60% e 70% menos do que eu ganhava na Chevron, mas, para ser honesto, provavelmente era um salário bem arrojado para uma organização sem fins lucrativos. (Levando em conta que já havíamos decidido doar 50% do pagamento do primeiro ano na Chevron como um experimento de generosidade radical, o valor do salário parecia algo com o qual poderíamos conviver.) Com empréstimos estudantis para quitar e a família crescendo, pedimos a Deus que confirmasse nosso chamado, fazendo minha situação salarial dar certo. Não falei com ninguém sobre o total pretendido, a não ser com Megan. Quando formos conversar sobre os detalhes financeiros, a Generous Giving me ofereceu exatamente o salário que Megan e eu havíamos conversado — com precisão absoluta, nem um centavo a menos.

Com minha mentalidade anterior, eu jamais teria aceitado a oferta. Por que ganhar menos e sacrificar milhões de dólares de meu patrimônio líquido em potencial, garantindo que precisaria continuar trabalhando até bem depois do meu planejamento de me aposentar aos 40? No entanto, ao definir linhas de chegada e estabelecer limites na vida, ganhei a grande liberdade de poder tomar essa decisão. Com um estilo de vida fixo em mente, a despeito de meu poder de compra e do desejo de trabalhar ao longo de toda a vida adulta, por que não seguir o Senhor no ministério? A escolha ainda era difícil, mas havia se tornado possível.

O reitor de Harvard, ao conferir o título aos formados em direito na instituição, diz o seguinte: "Sigam em frente e interpretem com sabedoria aqueles limites que nos mantêm livres". Para ser livre, nossa sociedade necessita ter leis — fronteiras e proibições que governam nosso comportamento livre. A anarquia não tem nada a ver com liberdade! Nossa vida financeira não é diferente. Ao definir regras para mim a fim de honrar ao Senhor, adquiri liberdade para segui-lo. De fato, conforme C. S. Lewis continuou a refletir acerca de sua conversão: "A imposição [de Deus] é nossa libertação".

Deus é dono de tudo (por Greg)

Seis semanas depois de começar a trabalhar na naviHealth em tempo integral, fomos comprados pela Cardinal Health, uma gigante na área de cuidados médicos sediada em Ohio, por mais de 400 milhões de dólares. Meu primeiro pensamento foi: "Ah, Deus, entendi porque o Senhor fez isso!". Eu me sentia muito inspirado pela escolha de John de fazer parte da Generous Giving e estava empolgadíssimo pelas oportunidades incríveis que meu amigo estava tendo de partilhar a mensagem divina da generosidade bíblica. Embora continuasse confiante quanto à minha decisão de entrar no setor privado, estava começando a me perguntar se minha parte nessa história estava chegando ao fim.

No entanto, depois que ocorreu a transação entre a navi-Health e a Cardinal Health, ficou claro que Deus ainda tinha planos para mim. Eu tive a sorte de ser dono de parte das ações da naviHealth. Isso significa que recebi um valor considerável em dinheiro como resultado da compra. Recebi parte do valor à vista, ao passo que o restante foi reinvestido na naviHealth. O pagamento total era um valor médio dentro da casa dos seis dígitos e pode chegar aos sete, caso a naviHealth continue a crescer rapidamente ao longo dos próximos anos. Ali estava eu, seis semanas depois de aceitar o novo emprego, tendo acabado de concluir este manuscrito, e Deus me apresentou uma espécie de "teste" da vida real. Será que eu havia mesmo aprendido alguma coisa?

Sou grato a Deus pela reação que Alison e eu tivemos a essa entrada inesperada de dinheiro. Antes de mais nada, agradecemos ao Senhor continuamente por sua abundante provisão. Em vez de assumirmos o crédito pessoal pelo lucro, louvamos o Senhor o tempo inteiro pelo generoso presente que nos deu.

Em segundo lugar, fizemos planos empolgados de doar uma parte significativa do valor (cerca de 20%), em vez de planejar gastá-lo de imediato. O restante foi, em grande parte, destinado a diversas metas de economia, desde pagar empréstimos estudantis até conseguir dar entrada na compra de uma casa própria. Depois de decidir "com quanto realmente precisamos ficar", ao definir um limite de estilo de vida, a escolha de quanto doar foi relativamente fácil — e muito libertadora. No passado, teríamos imediatamente começado a planejar a aquisição de uma casa maior ou a próxima viagem internacional de luxo (não que haja algo errado em viajar!). Em vez disso, estávamos *nos divertindo mais* ao orar em busca de caminhos criativos que Deus poderia abrir para que o servíssemos!

Em terceiro lugar, somos abençoados por ter uma comunidade com a qual pudemos debater sobre as melhores maneiras de usar esses recursos. Passei um tempo conversando com vários membros da nossa Diretoria de Vida, a fim de reunir conselhos e a sabedoria deles. Foi extremamente útil receber sugestões táticas acerca das escolhas de gastar, poupar ou servir, e isso também nos deu a chance de fazer uma prestação de contas espiritual mais profunda com outros seguidores de Cristo.

Para ficar claro, dou todo o crédito a Cristo pela mudança no meu coração e no de Alison. *Sei* que teríamos reagido de forma diferente à mesma situação apenas alguns meses antes. Sou muito grato por essa provisão de recursos financeiros, porém mais grato ainda pela provisão de sabedoria acerca de como administrar tais recursos. E o mais importante: hoje eu sei que tudo pertence primeiramente a Deus!

A FIDELIDADE DE DEUS (POR JOHN)

Depois que aceitei o emprego na Generous Giving, Megan e eu começamos a desfrutar a graça e a provisão divina de muitas maneiras. Ainda temos lutas e há dias em que questionamos nossa decisão, a fidelidade de Deus e até mesmo se deveríamos ter seguido nossos próprios planos, em lugar dos planos divinos. As lágrimas que derramamos quando fizemos nossa escolha não foram as últimas, e muitas outras se seguiram no processo de adaptação à nova vida. Mas confiamos na bondade de Deus. Sabemos que estamos acumulando tesouros no céu e que ele detém o presente e o futuro em suas mãos.

Fomos extremamente abençoados para adquirir nossa casa própria, de quatro quartos e 230m^2, com vista para o lago da região. É um lugar bonito e o sol nasce sobre o lago a cada manhã, brindando-nos com os tons dourados, róseos e azuis do céu matinal da Flórida. Sentimos a graça de Deus para conosco ao criar nossos filhos em um ambiente assim. Contudo, a entrada que tivemos de dar quase que esgotou todos os investimentos líquidos que tínhamos à nossa disposição. Com a família crescendo e apenas um carro na garagem, sabíamos que logo precisaríamos de outro veículo.

Fazia tempo que almejávamos uma *minivan*, por sua praticidade e espaço interno. (Os pais que estiverem lendo reconhecerão essa fase da vida e também concordarão com nossa convicção de que a Odyssey, da Honda, é a rainha inquestionável das *minivans*!) Queríamos uma Odyssey nova, mas havíamos nos comprometido a não pegar nenhum empréstimo para compra de veículos. Em uma de minhas primeiras semanas no emprego, outro funcionário da Generous Giving disse para alguns de nós: "Será que vocês podem orar por mim? Tenho uma Honda Odyssey antiga, com 250 mil quilômetros rodados, e está na hora de passá-la adiante. Ainda está em ótimas condições, mas já passamos dessa fase da vida. Faz quatro meses que quero vendê-la, mas não sinto paz a esse respeito e o Espírito Santo não está me deixando ir em frente. Não sei direito o que fazer". É claro que contei para ele minha situação e comprei o carro! Após pagar um preço justo pelo veículo, sobrou apenas um pouco de dinheiro em nossas economias. Deus proveu para nós em meio a essas circunstâncias.

Mal consigo descrever a sensação de alegria na expressão de Megan ao sentar naquela *minivan* em julho de 2015. Após apertar nossa família em um *sedan*, às vezes carregando malas no colo por não haver espaço suficiente no porta-malas, tínhamos um veículo com espaço para muito mais! Mas Deus não havia acabado de nos demonstrar seu amor. Ele tinha ouvido nosso clamor a ele em Boston, enquanto lutávamos para tomar nossa decisão, e deve ter prestado atenção à música que tocava ao fundo, enquanto isso acontecia. Assim, da primeira vez que Megan ligou o carro, depois de colocar as crianças em suas cadeirinhas, o rádio começou a tocar. E você já deve até saber que música estava no ar...

"Oceans"!

Naquele momento, era como se Deus estivesse falando com Megan, garantindo-lhe que seria fiel e satisfaria todas as suas necessidades à medida que ela continuasse a segui-lo.

REFLEXÕES FINAIS

Deus nos apresentou desafios no último ano, e hoje reconhecemos que isso aconteceu para que tivéssemos a oportunidade de aumentar a confiança em sua bondade e provisão. Conforme um pastor no oeste do Texas disse para John certa vez: "Você nunca sabe o que o espera do outro lado da obediência". Somos gratos por já termos partilhado nossa história com mais de dez mil pessoas até aqui, por termos mais oportunidades ainda a serem agendadas, e estamos aguardando com expectativa o que Deus planeja para nós nos anos futuros. Tudo isso tem sido uma agradável surpresa, e damos 100% do crédito e da glória ao Senhor por essa jornada.

Não sabemos o que Deus planejou para você, nem o que reserva para nós daqui para a frente. Mas temos certeza, por meio de nossas experiências ao longo do último ano, de que ele é radicalmente generoso, sem limites em seu amor e nos levará além de nossa zona de conforto, se permitirmos. Você aceita entregar sua vida financeira a Deus, para ver o que ele fará?

Apêndice A

LEITURAS RECOMENDADAS

ALCORN, Randy C. *Money, Possessions, and Eternity*. Wheaton, IL: Tyndale House, 2003.

_____. *The Treasure Principle*. Sisters, OR: Multnomah, 2001.

BLOMBERG, Craig. *Neither Poverty nor Riches: A Biblical Theology of Material Possessions*. Grand Rapids, MI: Eerdmans, 1999.

CARNEGIE, Andrew. *The Gospel of Wealth, and Other Timely Essays*. Garden City, NY: Doubleday, Doran & Co., 1933.

CORBETT, Steve; FIKKERT, Brian. *When Helping Hurts: How to Alleviate Poverty without Hurting the Poor—and Yourself*. Chicago: Moody Publishers, 2009.

CROTEAU, David A. *You Mean I Don't Have to Tithe?: A Deconstruction of Tithing and a Reconstruction of Post-tithe Giving*. Eugene, OR: Wipf and Stock Pub., 2010.

DUNN, Elizabeth; NORTON, Michael I. *Happy Money: The New Science of Smarter Spending*. Nova York: Simon & Schuster, 2013. [Publicado no Brasil sob o título *Dinheiro feliz: A arte de gastar com inteligência*. São Paulo: JSN, 2014.]

KELLER, Timothy; ALSDORF, Katherine L. *Every Good Endeavour: Connecting Your Work to God's Plan for the World*. Nova York: Dutton, 2012. [Publicado no Brasil sob o título *Como integrar fé e trabalho: Nossa profissão a serviço do reino de Deus*. São Paulo: Vida Nova, 2014].

MANION, Jeff. *Satisfied: Discovering Contentment in a World of Consumption*. Grand Rapids, IL: Zondervan, 2013.

McCLANEN, Don; STITT, Dale. "Ministry of Money." Faith and Money Network. <http://faithandmoneynetwork.org/>.

PIKETTY, Thomas. *Capital in the Twenty-first Century*. Cambridge: Harvard University Press, 2014. [Publicado no Brasil sob o título *O Capital no Século XXI*. Rio de Janeiro: Intrínseca, 2014.]

270 DEUS E O DINHEIRO

PLUMMER, Robert L. *40 Questions about Interpreting the Bible*. Grand Rapids, IL: Kregel Publications, 2010. [Publicado no Brasil sob o título *40 questões para se interpretar a Bíblia*. São José dos Campos, SP: Fiel, 2017.]

SIMON, Arthur. *How Much is Enough? Hungering for God in an Affluent Culture*. Grand Rapids, IL: Baker Books, 2003.

SMITH, Christian; DAVIDSON, Hilary A. *The Paradox of Generosity: Giving We Receive, Grasping We Lose*. Nova York: Oxford University Press, 2014.

SMITH, Christian; EMERSON, Michael O.; SNELL, Patricia. *Passing the Plate: Why American Christians Don't Give Away More Money*. Oxford: Oxford University Press, 2008.

STANLEY, Andy. *Fields of Gold: A Place beyond Your Deepest Fears, a Prize beyond Your Wildest Imagination*. Wheaton, IL: Tyndale House Publishers, 2004.

STEARNS, Richard. *The Hole in Our Gospel: What Does God Expect of Us? The Answer That Changed My Life and Might Just Change the World*. Nashville, TN: Thomas Nelson, 2010.

TIERNEY, Thomas J.; FLEISHMAN, Joel L. *Give Smart: Philanthropy That Gets Results*. Nova York: PublicAffairs, 2011.

Apêndice B

RECURSOS ADICIONAIS

Organização	Principal serviço	Seu próximo passo
Generous Giving www.generousgiving.org	Retiro da Jornada de Generosidade Conferência anual de Celebração da Generosidade	Inscreva-se para a Celebração da Generosidade ou aliste-se para ser anfitrião de uma Jornada de Generosidade para seus amigos (eles oferecem um facilitador treinado, sem custos para você).
National Christian Foundation www.nationalchristian.com	Fundos aplicados de acordo com a vontade do doador. É como se fosse uma conta de doações: sua própria fundação familiar em miniatura, a partir da qual você pode controlar todas as doações feitas.	Considere a ideia de abrir um fundo de doações, em especial se quiser aproveitar o benefício fiscal de bens valorizados, participação em sociedade comercial, propriedades etc. Ou marque um encontro com um representante do braço local da organização para saber mais.
Kingdom Advisors www.kingdomadvisors.com	Rede de consultores de finanças capacitados e comprometidos com a visão bíblica sobre dinheiro e riqueza. Eles podem levá-lo além de planilhas e metas, e explorar os problemas do coração em torno do dinheiro.	Encontre um consultor certificado da organização e pense em marcar um encontro.
Women Doing Well www.womendoingwell.org	Seminários para mulheres descobrirem seu propósito, sua paixão e seu plano na área de doação de recursos. Eventos urbanos de um dia com o objetivo de formar comunidades de mulheres capazes de viver a plenitude de suas doações para o reino de Deus.	Acesse o *website* para descobrir ser haverá um evento em sua região ou para entrar em contato.
Compass Ministries www.compass1.org	Instrução bíblica sobre dinheiro e riquezas. Recursos práticos para capacitá-lo a se tornar, ao mesmo tempo, generoso e sábio na administração de suas finanças.	Inscreva-se ou ofereça-se para ser anfitrião de um estudo em pequenos grupos.

Compartilhe suas impressões de leitura,
mencionando o título da obra, pelo e-mail
opiniao-do-leitor@mundocristao.com.br
ou por nossas redes sociais

Esta obra foi composta com tipografia Minion Pro e Europa
e impressa em papel Pólen Soft 70 g/m² na gráfica Imprensa da Fé